柔軟心
無掛礙

林清玄

現代佛典總序

林清玄

「佛法經過幾千年了，還適合現代人嗎？」

經常有人這樣問我。

由於時空的變異，現代人的生活型態確實與古人大有差異，但是做爲人的本質並未有什麼變化，例如生老病死、七情六欲、煩惱無助等等。如果一個人有志於解脫這些本質問題，或者說希望使自我的本質得到提升，就需要一些生命的指導原則，佛法在這些原則性的問題上歷久常新，佛法當然是適合現代人的。

透過佛法，一個現代人可以對生、老、病、死、愛別離、怨憎會、求不得、煩惱熾盛有更深刻的認識，然後依照三法印、四聖諦、八正道、十二因緣、三十七道品等原則修行，使煩惱止息、身心統一，得以安住於波動不安的環境當中。或者其中有大根器、修行得力的人，也可以現證涅槃，得到生死的解脫。

即使完全不修行、沒有宗教信仰的人，認識佛法，也可以開發智慧，有更廣大的思想、更高超的嚮往、更不凡的胸襟。

佛法可以超越時空，契入現代人的心靈，除了在方法上，使我能親身證驗內在憂惱的提升與轉化；在觀點上，現在最熱門的環保問題、人權問題、自由問題、階級問題等等，在佛經裡也早就提到，歷歷可證了。

因此，我常覺得，佛法是最古老，也是最現代的；佛法是最有歷史，也是最前衛的。我時常有個願望，但願最忙碌最混亂的現代人，也可以用很短的時間，來品味佛法的芳香，「現代佛典」系列就是在這種願望下誕生的。

顧名思議，「現代佛典」可以說是「給現代人讀的佛教經典」，也可以說「對現人有益的佛教經典」，又可以說「符合現代思潮的佛教經典」，凡是對生命有過迷思、對生死有過困惑、對情慾有過掙扎的現代人，都是適合閱讀佛典的。

在編輯「現代佛典」系列時，我們大約有三個方向，一是精緻的，二是簡易的，三是有效的，希望能把龐大的佛教經典化簡馭繁，找出有效的能對治人的病根的佛法，用精緻的方法來編印。

當然，根本的思想，是把「佛法」和「現代」結合起來，使一朝風月的現代人，能普受佛法的滋潤；也使佛法能與時並美，萬古常新。是爲序。

曇花與蓮花
——自序

曇花與蓮花

天天清晨，我都風雨無阻的去登家附近的四獸山，最常去的是象山。象山標高只有一百八十三公尺，如果走走停停，二十分鐘就可以到山頂，如果快走，十分鐘就到了。

出門之前，我總會隨手抓一份報紙到山頂上看，在山頂上看報紙，心情是很不同的。腳下就是台北東區的紅塵，往往在讀過政客翻雲覆雨的新聞之後，俯視那紅塵中相疊的高樓，不禁會想：再自大、再驕傲、再富有、再權傾一時的政客，也只是紅塵中小小窗口裡小小的人物，「蝸牛角中爭何事？石火光中寄此生」的感觸也就特別的深刻。

人生的追求不也是光影交雜的幻影嗎？

這樣想著，我就靜下來深深的呼吸，感覺整山的清氣都貫穿了我的胸腹，而那些人間的爭奪也就在山風裡稀釋了。

對於飽受資訊侵擾的現代人，幾乎已經沒有什麼新聞可以眞正觸動我們了。那些政客或媒體認爲非常重大的事，對於「早覺」的人，也免不了是微風一陣。

今天登山的時候，看到的新聞卻是不同，因爲「張愛玲死了」。張愛玲逝世的新聞使我的心頭爲之一震。想起在年少時代曾經爲張愛玲的小說那樣的感動過，她的美麗、憂傷、哀怨的文字，常使我陷入一種迷離的情境，那種迷離，雖經過數十年的時空，還像午夜的某一次夢魘，如許清明。

而今，她死了，骨灰要灑在無人的曠野。

總覺得她還活在某一個地方，想是對於自己喜歡過的作家，有一點不捨。

正在想的時候，遇到常登山遇見的山友，他是銀行經理，平常遇見我的時候總是說：「早呀！」然後會談一些政治與經濟的話題。沒想到今天的開場白是：「嘿！你們有一個作家張愛玲去世了，你知不知道？」

後來，又遇到一位山友，是洗衣店的老闆，平常他的開場白是生活的困難，生意越來越難做，今天他說：「我在路上聽廣播，說有個作家張愛玲死了，可惜呀！」

再來了一位老芋仔，他從前是部隊的士官長，思想保守、性格剛烈，最記得他對現在許多士兵自殺或活活被打死的事發表意見，他說：「現在的兵哪！太頑劣了，死了不只是活該，簡直應該活埋！」這種人也喜歡張愛玲，令我們有一些錯愕，他說：「俺在部隊裡讀了許多張女士的作品哪！」

張愛玲果然死了，因爲她的骨灰要灑在曠野；張愛玲果然未死，因爲她的文字灑在各種不同的心靈。

喜歡張愛玲的人如此之多、如此之普遍，也是令我訝異的。我想凡是喜歡文字藝術的，不論同不同意她的意識型態或思想內容，都會歎服於她的文字。就好像練少林拳的人看到了太極拳，也會歎服於那種優雅和柔軟。

我不是最迷張愛玲的人，因爲我雖然遍讀了她的作品，寫作上並沒有受到影響。我歎服，並不臣服。

張愛玲給我的感覺像曇花，是午夜裡的華麗和璀璨，雖然明艷帶著幽香，但夜風甚涼，只在沒有光的夜晚，幽然盛放。回到了白日的現實，雖然曇花給我們震撼以及美麗的記憶，但眞實的生活中，很少人能愛得那樣迷離、那樣傾注、那樣憂怨的。

雖然我們嚮往那種細膩、浪漫的情感，但回到大千世界，我們也隱成一扇小小的窗口，正如坐在上海電車中，惘惘然的前行，或正如坐在山頂上，看高樓萬疊。

年少時可以那樣愛，年老了呢？

這是爲什麼張愛玲離開家園後，再也沒有作品的原因吧！

下山的時候，我看到農夫種的幾株蓮花正在晨光中盛放，想到作家可以做曇花，也可以做蓮花，午夜的曇花與清晨的蓮花一樣的美，只是看曇花和看蓮花的心情一定大有不同的。

隨著清風而去的張愛玲，依然是冷冷的看著這個情欲交纏的世界呀！

看著，看著，一朵曇花就無聲的謝落了。

失敗的微笑

到了中年以後，喜歡看體育節目。有時候說不清這是什麼心理，大概是一種補償作用，因爲玩不動、跑不動，看年輕的頂尖高手競賽，使我們得到一種移情的滿足。

看到美國網球公開賽的女子單打爭霸，使我的感觸甚深。這場比賽萬方矚目，還沒有開打就預料是難得的好球。兩年多前，莎莉絲被葛拉芙的球迷持利刃刺傷，休息了整整二十八個月。這段期間，葛拉芙完全沒有對手，評論家認爲她可以稱霸網后，都是球迷刺殺莎莉絲所致。

再加上網球總會爲了彌補莎莉絲，在她休息的兩年多時間，儘管葛拉芙所向披靡，依然把她列爲世界排名第一，也就是兩人並列第一。

這也是網球賽少見的，兩位世界排名第一的對決，何況兩人又有刺傷之怨，心理上想要求勝是可以想見的。葛拉芙渴望一洗評論家的譏笑，並證明：即使球迷沒有刺傷莎莉絲，自己依然是世界第一。莎莉絲在評論家的眼中，不只藉此役重振聲威，也希望報了刺傷的怨恨。

但是評論家錯了。

這場球非常精采，精采的是兩人勢均力敵，精采的是莎莉絲的微笑。

莎莉絲打得好的時候，微笑了。

打得不好的時候，微笑了。

最後打輸了，她依然有著那樣美好的微笑。

在激烈緊張的球后爭霸賽裡，莎莉絲從頭到尾，不時露出陽光一樣的微笑。那微笑如此純淨、美好、不帶一絲雜質，是包容了生命的痛苦、寬容了種種挫折之後才有的微笑吧！

相對於葛拉芙的嚴肅緊繃，莎莉絲雖輸了，卻輸得很美，輸得令人感動。

在頒獎典禮上，莎莉絲仍然微笑，並且欣悅的鼓掌，爲對手的勝利而讚美，以致於輸掉比賽的反而比勝利的贏得更多的掌聲，成爲媒體的焦點。

看完這一場比賽，我多麼希望自己在挫折與失敗中，也能有莎莉絲那樣的微笑。

於生命的失敗中，依然有著純眞無染的微笑，那是了知人生起伏、看清是非成敗轉頭空之後的釋然。

在一局一節中爭勝負，是凡人生命的困局；一旦站在更高更遠的天空俯視，則勝負的掛懷不正是煩惱的起源嗎？

假如「所思者甚大、所觀者甚遠」，勝負都是人生的常態而不是生命的變局，沈湎於勝利的成功與沈淪於失敗的痛苦都是盲點，重要的已不在成功與失敗上，而是跳脫那掛礙的盲點。

唯有在得與失時都能微笑以對，才是在波浪起伏的生命之河中，還能行舟前進的力量呀！

更細膩的心

蕭芳芳來台灣，辦了一個個人的影展，並且展出她從小到大的攝影展。

看著蕭芳芳的攝影展，彷彿掀起自己記憶的盒子，回到幼小的時候，坐在爸爸腳踏車後座去看蕭芳芳的電影，那還是她的「女俠時代」，美麗、甜美、武功高強，我們在戲台下往往看得如醉如癡。

說是「戲台下」一點也不假，因爲故鄉的「仙堂戲院」原本是爲扮歌仔戲而搭建的，後來改成戲院，銀幕變得非常非常高，加上座位只是用一條條粗竹子釘成的，顯得更低矮。坐在沒有靠背的竹筒上，必須正襟危坐、全神貫注，以致於銀幕上的人物就變得更偉大了。

我是以那樣正經的心情看著電影長大的，其中，蕭芳芳的武俠電影寫下非常重要的一頁。這影響是很巨大的，使我在少年時代竟進入一個自己毫無所知的學校讀了三年書，只因爲這個學校有全台灣唯一的「電影科」。

在成長的過程，我最喜愛的兩位女演員，就是奧黛麗赫本和蕭芳芳了。

最近蕭芳芳來台灣，才知道她的耳朵全聾了，還在讀一個兒童教育心理學的學位。記者問到她關於耳聾的感想，她的回答令人感動：「耳朵聽不見以後，變得更有耐心，也更細心了。」

爲了「溝通」，必須除了語言之外，仔細體會別人的表情、行爲，所以能更細心。

也爲了「溝通」，所有的語言、思想都不能「衝口而出」，要等待別人的表達，自己還經過思索，所以能更有耐心了。

做爲一個觀衆，光是從螢幕上的訪問，就可以感受蕭芳芳變得更親和、更謙虛、更有深度，也更美麗了。她的「一竅」雖然被關起來，其餘的六竅反而如花朵般盛開了。

這使我想到，我們耳聰目明的人，在看得到、聽得見的時候，是不是也能學習更細膩的心，來感知心與心的溝通呢？

對人間還有餘情

生活無時不刻的在開著蓮花，蓮花正是純淨、細膩、柔軟、堅韌和芳香的象徵；蓮花一樣完全的柔軟心，則是佛道追求的境界。這是爲什麼所有淨土的有情都是在蓮花中化生的原因。

爲了開啓心中的柔軟，並祈願衆生內心的蓮花開放，這十年來，我做了上千場的演講，這些演講有很多整理成書，在圓神出版的有《在蒼茫中點燈》《以有情覺有情》《清淨心看世界》《歡喜心過生活》《平常心有情味》，現在把近期的六篇講稿編成這一本《柔軟心無掛礙》。

這系列的演講，裡面充滿了美如蓮花的祝願，因為對我來說，一切的演講都是隨眾生的因緣而形成的，如果不是眾生的邀請，對這個世界，有很多時刻我是無言以對的。

有時候，我也渴望做靜夜裡的一朵曇花，默默的開放，燦如煙火。

但更多時候，我會想到，如果不把自己的會心化作言說，一切也將流於空無，這時我就希望能在熱鬧的街市和潮湧的人群裡種幾朵蓮花，或者只是播撒一些蓮花的種子，也是好的。

在我整理這些講稿的時候，冬季已經來了，天氣一日寒過一日，不過，思及從前懷抱著熱情在台上的情景，這些講詞彷彿猶有餘溫。但願不只當時當刻的聽眾得到啓發，讀到這本書的讀者也能有歡喜之情。

有所啓發、有所歡喜，就是花開之相，也能使心地柔軟。

心地柔軟是一切的根本，佛經裡說看到柔軟花的人，可以「斷離惡業」，常說柔軟語的人，可以「得梵音相」；行爲柔軟的人，可以「防一切瞋怒之毒害」；心地柔軟的人，可以「成不二心」；智慧柔軟的人，可以「隨順眞理」。

佛經裡把菩薩的成就分爲「十地」，第五地的菩薩叫「柔軟地菩薩」，就是已經斷除了大部分的煩惱，只留下一點薄餘的習氣，也就是對人間還有餘情的菩薩。

「對人間還有餘情」、「常留一絲有情在人間」，這是多麼動人的說法，啓示我們情欲固然是苦、空、無常，但在有情的心靈也自有啓示、自有境界。

我就把這本書獻給世間的有情人吧！

一九九五年冬日　台北永吉路客寓

◉目錄◉

野鳥保護與心的天空 059

開悟與念佛　115

茶禪一味　157

柔軟心無掛礙

柔軟心無掛礙

柔軟心就像湖水一樣，你拿一顆石頭丟到湖裡去，湖面一定會泛起漣漪。在佛教早期的經典以及大乘的經典裡，都講到一個人需要有柔軟心。因爲智慧是從柔軟心生出的；菩提心，也就是覺悟的心，是從柔軟心生起的；慈悲的心也是從柔軟心生出的；有願望的心也是從柔軟心生出的。

然而，很多人都已經忘記柔軟心才是一切的根本。

爲什麼佛跟菩薩都是坐在或站在蓮花上，而不是坐在別的花上呢？因爲蓮花是最柔軟的。所以，在佛教的經典裡，蓮花也叫作柔軟的花。

淨土和地獄，都開蓮花

不只在人間用柔軟花來象徵佛法，在佛經裡提到，天上也有一種最柔軟的花，叫作曼殊娑花。淨土裡的人，也就是西方極樂世界的人，都是在蓮花中化生的，那是因爲他們的身心都處在一種非常柔軟的狀態。像我們一坐在蓮花上，蓮花就扁掉、爛掉了，因爲我們的身心還不夠柔軟，還無法在淨土裡化生。

在地獄裡，也是用蓮花來象徵佛法。佛經裡記載，地藏王菩薩每次下地獄去解救衆生時，地獄裡焚燒人的烈火，全部化成美麗的紅蓮花來承接他的雙脚。什麼樣的人可以使地獄的烈火變成美麗的紅蓮花？就是身心隨時保持在柔軟狀態的人。

佛經裡講到蓮花的五種德性：第一，清淨；仔細觀察蓮花，眞的是一塵不染。第二，細膩；蓮花的花瓣非常細膩，摸起來像絨布一樣。第三，柔軟；彷佛風一吹就要破，但又不會破。第四，堅韌；不論風怎麼吹，都不會折斷。第五，芳香；蓮花有種難以形容的清香。

世間的一切都是由柔軟心來的，如果要認識一切法、進入一切法，也都要先使自己具備柔軟的心。

很多宗教都強調，一個人若要上天堂或投生西方極樂世界，一定要心如赤子，小孩子的心是非常柔軟的。一個人年紀越大，就越容易受傷害，因爲身心越來越僵硬。

曾經有人做過實驗，找了一位美國足球隊員，跟在一個小孩的身邊，小孩做什麼動作，他就跟著做什麼動作。三個小時後，這位足球隊員就累倒在地，而小孩依然活蹦亂跳，因爲小孩一直都是處在無心和柔軟的狀態中。

向小孩學習

我便常常從我的小孩身上去學習。有一天，我的小孩跑過來跟我說：「爸爸，我累了，要去睡覺。」就跑走了。過了很久都沒有聲音，我就去看看他到底在什麼地方睡，原來他睡在客廳裡的一張「椅條」上，也就是長板凳上。通常我們大人睡這種椅條，大概都是躺在椅條上面睡，不過我的小孩不是這樣，而是掛在椅條上面睡，好像一條毛巾一樣掛在上面。

當時我非常吃驚，心想他一定不會睡太久，因爲這樣睡是很不舒服的；再來，就是他睡起來一定會腰痠背痛。但是他竟然一睡，睡了一個多小時才醒來。醒後跳下來跟我說：「爸爸，我要去玩了！」哇，一下子又跑出去了，怎麼不會腰痠背痛？那麼厲害！我也去掛掛看，才掛了十分鐘，就腰痠背痛吃不消了。

再舉一個例子，老子的傳記裡記載，老子有一個老師叫常仲，常仲臨死前，老子就站在他旁邊問：「師父，您最後有什麼要教導我的？」常仲就把老子叫近些說：「你看看我的嘴巴。」接著說：「你看我的舌頭還在嗎？」老子說：「在呀！」然後常仲說：「你看我的牙齒還在嗎？」老子答說：「沒有，牙齒都掉光了。」常仲便對老子說：「這就是我所要教你的最後一課，柔軟是最有力量的，所以我死了以後，你應該以水爲師。」

水，是天下最柔軟的，但是沒有一種剛強的東西可以抵擋得住它的力量；它不管處在什麼狀況下，都不會改變本質。老子因此得到很大的啓發，後來他的《道德經》就講了很多關於柔軟的道理。

柔軟是最有力量、最恆常的，這是可以理解的。就像很少人從來沒有蛀過牙，但卻沒有一個人會蛀舌頭。為什麼柔軟是最有力量的？因為一個人只有透過柔軟，才可以認識自己的本質，朝向自己的目標。

我小時候住在高雄旗山，我父親是個農人，我們家有一片很大的田。每次要耕種之前，爸爸就會帶著我們幾個小孩先去犁田，犁田就是把土地整個翻過來。如果土地平常有在耕作，犁田時大概只要犁到一、兩尺深；如果從來沒有耕種過，那就要犁到四尺深，幾乎整個土地都要翻過來。

犁田是為了要認識土地的本質，一犁下去就會知道這是什麼樣的地，每一種土的特質都不相同。如果是很好的地，就可以種稻子；如果是石頭地，可以種竹筍、香蕉；如果是沙土，那就種西瓜、番茄、香瓜；要是這個土很差，那就只能種芋頭、番薯。芋頭、番薯是什麼土地都可以種的。

有一次，我從台中坐計程車要回台北，計程車司機開得很快，時速一百二十幾公里，我坐在後座很緊張，怕出車禍。更恐怖的是，他不但車開得快，還有吃檳榔的習慣，每隔一公里就要吐檳榔汁，車門打開、頭伸出去：「呸！」然後繼續往前開，車速都沒有減慢。他看我嚇得直發抖，就說：「免驚啦！我吐了好幾十年也不曾撞到過。」

我非常佩服他，這種人就是天生可以做計程車司機的。我們平常在高速公路上時速開到一百就很緊張了，都不敢左顧右盼，何況是吐檳榔汁，他一定有著了不起的本質。

認識自己的本質

我在很小時，就認識到自己的本質。

我想，將來長大要做一個作家，因爲我很會講故事、寫東西。小學三年級時，有一次上作文課，作文題目是「我的志願」，我說我的志願是將來做一名偉大的作家，要拯救人類的心靈，要促進世界和平，要使人與人之間更能溝通。作文簿交上去之後，老師把我叫去，叫我直直站好，手伸出來，摸我的額頭，看看有沒有發燒，怎麼會有人有那麼奇怪的志願？

那時，班上同學的志願不是工程師，就是科學家、發明家、總統、行政院長，什麼都有，就是沒有出現過一個從小立志要當作家的人。我們班有四十幾個人，有八個人長大立志要做總統，其中有兩個立志要做「蔣總統」，他們那時候不知道總統還有別的姓的，以爲要先改姓才可以做總統。

這兩個要做總統的人，有一個坐在我的旁邊，有一天很嚴肅的問我：「林淸玄，美國的蔣總統是誰呀？」我就更嚴肅的對他說：「美國的蔣總統叫蔣甘迺迪。」

你有沒有認識過自己的本質？

在我成長的過程裡，我的父親常常問我長大以後要做什麼，我說我長大以後想要去當作家。以前在鄉下，沒有人知道作家是做什麼的，於是我爸爸就問：「作家是做什麼的？」我說：「作家就是你坐下來寫一些字，寄出去，人家就會把錢寄過來。」我爸爸聽了很生氣，打我一巴掌，說：「憨囝仔，這世界上若有那麼好的事，也不會輪到你做。不跟你講了。」講完就走出去，走到門口時，又突然回頭跟我說：「若有那麼好的事情，你老爸也要去做。」

爲什麼沒有人相信我可以做這件事情呢？因爲他們都不認識我的本質。而爲什麼我可以確信自己可以做得到呢？因爲我已認識到自己的本質。

要認識自己的本質就要先把自己的土地掘一掘。第一次挖四尺深，以發現自己內在的祕密，發現自己內在的品質。

接著，把土地上不好的東西，像石頭、樹枝、破銅爛鐵等都剔除掉，使土地保持在柔軟的狀態。你如果從來不挖掘，就不會知道自己的石頭、樹枝、破銅爛鐵在哪裡。這種石頭、樹枝、破銅爛鐵，從佛教的觀點來講，就是習氣，每個人都有貪、瞋、癡、慢、疑種種習氣。

最後，保持地力、保持創造力。唯有透過不斷的犂田，才能把土地、內在好的土地翻過來，使土地保持很好的生機。

柔軟心的特質

柔軟心具有五種特質，亦即蓮花的五德：第一，清淨：非常潔淨，也可以說是覺悟，透過覺悟，使心靈保持在純淨的狀態。第二，細膩：就是慈悲，使你的悲心一直處在最細膩的地方，就是佛教常講的「三千威儀，八萬細行」。對一個修行的人來說，他的整個人格就是他的修行，都表現了他的修行，沒有一個修行是特別獨立於他的人格之外的。

第三，柔軟；就是智慧，無住、無礙、無限。第四，堅韌；就是願力，受到挫折時不容易折斷、退轉。第五，芳香；就是實踐，每一步實踐都開著蓮花的芳香。一個人如果這五者皆具備了，我們就可以說他有柔軟心。

我們身處的這個世界，佛教稱為「娑婆世界」，意思是堪忍的世界，即還可以忍受的世界、不圓滿的世界以及剛強的世界。為什麼世界會變得剛強？因為大部分世間人的本質沒有被認識到。一般人很少真的去認識到自己的本質，通常都是被外在的狀況所混亂。

有一次朋友請我吃飯，飯席間介紹一位新的朋友。這位新朋友拿了一張黃金打造的名片給我，名片下還打上「純金九九九」，當時我十分吃驚，沒想到有人這麼「僥擺」，這麼愛招搖。他說那張名片是非常珍貴的，我說我也有一張很珍貴的名片要送給他。我的名片是用再生紙印的，下方有一行字：「沒有一棵樹因為這一張名片而倒下。」

我覺得這個是珍貴的，但他覺得那個是珍貴的，角度都不相同。回到家裡，我還是不太相信有人會用黃金來打造名片，便把它剪成兩半，一半送去給一位開銀樓的朋友化驗。化驗結果，果然是眞的黃金。

大家用許多方式來肯定自我的價値，然而，大部分的價値都是虛幻的。許多參加選舉的候選人會用很多名銜來肯定自己的價値，但這眞的可以確定他的價値嗎？眞正的價値並不是在選舉時可以營造出來的，而是在平時一種人格的展現。然而大部分的人都已經忘記這種眞實的本質，因爲缺乏了柔軟心。

有一次我走到台北的饒河街夜市去散步，發現有一個攤子在賣黃金鼠，其中有一隻長得特別漂亮，身上長著金色和銀色的毛。我問老闆價錢，老闆說：「一千八。」很難想像一隻老鼠可以賣到一千八。「哦，怎麼賣那麼貴，老鼠哪有賣那麼貴的？」老闆說：「你要便宜的也有，這箱一百，這箱一百五。」

當一個人花一千八去買一隻老鼠時，是眞的愛這一隻老鼠呢？還是愛那一千八百塊呢？花一千八百塊就可以表示這隻老鼠是有價値的嗎？

台北有一家寵物店，店裡賣著各式各樣的寵物，有烏龜、青蛙、變色龍、蜥蜴。蜥蜴一隻都要七、八千塊，最便宜的青蛙一隻四百塊，最貴的兩千五百塊。如果你眞的喜歡青蛙，去市場買就很多，一百塊買好幾斤，爲什麼要花兩千五來這裡買一隻青蛙？你是眞的愛青蛙，還是因爲牠價值兩千五呢？這其中就有一個很大的差別——本質的差別。

我有一位朋友在做台灣土狗的復育計畫。他告訴我，現在台灣的土狗就要絕種了，純種的、最好的台灣黑狗，我們叫「黑狗公」，一隻價值六十萬。眞令人無法想像，一隻土狗可以賣到六十萬！他說，土狗的價錢可分成四等：一黑二黃三花四白。黑的是最貴的，黃的次之，花的再次之，白的最便宜。

這使我想起很久以前在台灣鄉下，賣狗肉的到處抓狗，也是根據一黑二黃三花四白來抓，黑狗被抓得特別多，於是現在黑狗就變得特別少。我想，在那時沒有人會想到，台灣的土狗會有今天這樣的價格。

同樣的，回到人的身上，當我們看見一個人或看見自我時，是因爲名望、權位或財富而肯定他或自己的價值呢？如果我們把衣服統統脫光，站在鏡子前面看自己，看自己還有沒有價值？

人給自己的定價

有一次我的小孩在看電視，電視上胡瓜正在訪問林青霞，他看了就很感慨的跟我說：「爸爸，林青霞和林清玄才差一個字而已，長相怎麼差那麼多？」當時我聽了就哈哈大笑，一點都不覺得自己受到傷害。因爲這個世界上本來就每個人有每個人不同的面貌，每個人有每個人不同的價值，我們在確定自己的價值時，應該不受任何外在條件的影響。

如果我們事事都要跟別人比較，才可以確定自己的價值，要掛很多的頭銜，才可以確定自己的價值，那就表示柔軟心還沒有被開發。要靠外在的力量確定自己的價值，就會活在痛苦的狀況。反過來，開發自己的內在世界，就會變成一個慈悲、智慧具足的人，甚至可能成佛。

每個人都有不同的價值，我們是不是願意回來認識自己的價值、開發自己的價值，使自己的身心柔軟，保有創造力？創造力是這個世界上最需要的。每個人都要有創造力，並發展出不同的特質。

人，就像百貨公司裡的化粧品，你給自己的定價有多高，你的價值可能就有多高。

百貨公司的一樓都是賣名牌化粧品，價錢非常昂貴，從一千塊到一萬塊的都有。以香水爲例，每一瓶香水的成分都大同小異，但爲什麼有的標價一千，有的標價一萬元呢？還有一種香水更便宜，叫作明星花露水，一瓶三十三塊，三十年價錢都沒有調整。這些聞起來同樣都那麼香的香水，價錢怎麼會差那麼多？結論是：「你給自己的標價有多高，你的價值可能就有多高。」

有次我到台中演講，一位多年不見的朋友來找我，他一看到我就很熱情地抱著我說：「啊，很多年沒見，你都沒有變呀！」通常我們都會這樣告訴我們的朋友。然後我就說：「不會吧！沒有大變也有小變呀！」他聽了有點不好意思，退後一步說：「呀，是變了，頭髮都掉光了。……嘿，我知道有可以長頭髮的祕方。」

他要告訴我的祕方很簡單，就是每天早上起來喝一杯自己的尿，不只能治療我的禿頭，也可以治療很多疾病。聽說這個方法在中南部很流行。他跟我講了很多喝尿的好處，還送我一套書，共有八本，書名是《奇蹟的尿療法》。

這八本書講到該如何喝尿，最好的是每天早上起床的第一泡，但也不是整泡都好，只有中間那一段好，所以前面、後面都要去掉，這樣說來，要接尿也不簡單。

書上還說，如果你覺得光是自己健康還不夠，還要家人也健康，但他們又不喝，你就可以在煮蘿蔔湯時，倒一杯你的尿進去，這樣全家吃了都健康。早上喝咖啡也可以用尿來煮。

書上的結論是，只要喝尿，不管什麼大病小病統統尿到病除，甚至癌症都可以治好。

這八本書都有一個共同強調的重要觀點，首先，你必須對自己的尿有很堅強的信心，相信喝自己的尿可以治百病。如果你的信心提高到喝尿都面不改色的狀態，我想絕大部分的病都能夠治好。日本人很會做怪，說不定哪天喝尿不流行了，他們就發明「奇蹟的大便療法」，哦，那就更需要堅持的信心！

成佛當然也需要非常大的信心。在《阿含經》裡記載著這樣的故事：釋迦牟尼佛有一天在恆河的南岸說法，有一位信徒知道天底下最有智慧的人在那裡說法，就從恆河的北岸走了很遠的路要到南岸去聽法。但是到了恆河北岸之後，發現無法過去，若要繞路，走到對岸時法會可能已經結束了。怎麼辦呢？他問旁邊的船夫：「請問這個河水深不深？可不可以過去？」船夫說：「淺淺的而已，差不多到膝蓋。」那個人聽了很開心，「那我就可以走過去了！」結果他就從河面上走過去。

在恆河南岸聽法的人，看到有一個人從河面上走過來，都嚇壞了，因爲河水有好幾丈深。他們就問佛陀：「這是不是菩薩示現？他怎麼可以從河面上走過來？」佛陀說：「不是，他不是菩薩的示現，他跟你們一樣，只不過他對我所說的法有絕對的信心，所以可以在河面上走過來。」要有可以走在河面上而不沈下去這樣的信心，才可以修行佛法，得到成就。

哪一天，如果你到了基隆河或淡水河，走到河面上卻沈下去，那表示你的信心還不夠，還要再往上提升一下，提升自己的本質，使自己有信心。

一碗米跑掉了

然而，認識自己的本質要透過哪些方法呢？換言之，柔軟心應該具備哪些本質呢？第一，覺悟。覺悟在佛教裡也稱爲「菩提」，就是如實知道自己的心。「覺」這個字，上面有一個「學」字部，下面是一個看見的「見」，學習來看見就是覺，「學習來看見自己的心」就是覺悟。

在這個世界上的人，每個人都是不圓滿的，沒有一個人格完全圓滿而投生到這個世界上的人。當然也有例外，就是乘願再來的菩薩，但通常我們都不是這樣的人，我們都不圓滿。不過，一個人如果不學習看見自己的心，就不會看見自己的不圓滿；如果我們的眼睛都一直往外看，就不會看到自己的不圓滿。

我們的心就像湖泊一樣，只有保持在平靜的狀態，才可以看見湖裡的東西。我小時候住在鄉下，家裡沒有自來水，都要用水缸在屋簷下接雨水。接水的水缸很深，是石頭做的，剛接到的雨水不可以立刻拿來用，因爲雨水剛剛滴到水缸裡是混濁的，要等水完全沈澱下來才可以用。光是等雨水完全沈澱下來，大概要三天的時間，三天後才可以把上面的水舀起來煮飯、燒水或者洗澡等。

但要把沈澱的水變得不能用，卻只要一分鐘。小孩子都喜歡玩，手伸進去攪一圈，三天的心血就報銷了，要用水還得再等三天。所以，那時候最嚴重的事情就是去把水缸裡的水弄混了，那是會被打得半死的。

這給我一個非常深刻的體驗：我們可能要花很多時間才能使自己的心處在平靜的狀態；但是要使自己的心混亂，是非常容易的。這種混亂，在佛教裡叫作「迷」。

「迷」跟「覺」是相對的，迷這個字就是「一碗米讓它給跑掉了」。這會是什麼樣的情形呢？試著把一碗米倒在地上再撿回來，你就會發現，撿一碗米回來要花很長的時間，而把一碗米倒在地上只要一秒鐘。

覺悟就是使你的米不要倒出去，使你的雨水不被攪混。因爲你隨時看見自己的心，當米要倒出去時，有一個聲音立刻告訴你不能倒出去；當雨水要被攪混時，你會知道不要把手伸進去。這個就是覺悟，預先看見那個未發生的狀態。

一個人要覺悟，要看見自己的心，就要隨時對生命保持觀照的態度。有一個關於西藏佛教的故事，提到從前有一位高僧，在深山裡的寺廟修行。有一天，一位很有錢的大施主要來布施，這個高僧很興奮，就動員廟裡所有的徒弟，說：「有一個有錢的人要來，大家把寺廟掃得乾淨一點，這樣他的錢就會捐得比較多。」快要掃完時，他突然得到一個覺悟：「哎呀！我怎麼那麼卑鄙，只因爲錢多而來打掃寺廟。」一想到這裡，便把掃到畚斗裡的灰屑、垃圾全部再撒回廟裡去，然後以一種自然的態度來接待有錢的施主。

這個故事給了我一個很大的震撼。我們常常因爲失去內在的觀照，而去做那些沒有意義的，或者有分別的事情。這麼了不起的高僧，都要到最後一刻才能觀照到自己的心，可見觀照是很不容易做到的。

四念住的觀照

透過什麼樣的觀照，才能察知我們內心的柔軟而得到覺悟呢？在佛教裡有「四念住」，是四個觀法。第一是「觀身不淨」，觀照到我們的身心是不清淨的。這其實很容易觀照，譬如早上出門，穿得非常漂亮、乾淨，晚上回來，衣服就要洗了，因爲身體是不乾淨的。所以不要去執著或迷戀身體，不要花太多精神或太多貪愛在身體上。這個身體不管你多麼愛護它，它都是不清淨的，而且隨時在敗壞。

第二個觀法是「觀受是苦」，觀照到一切的感受都是痛苦的。所有的痛苦都是因爲感受才痛苦，如果沒有感受就沒有痛苦。如何來觀照、感受我們的痛苦呢？舉一個簡單的例子，當我們走在路上，突然有一個德國人罵我們一句髒話，但是我們不會生氣，因爲他講的我們都聽不懂，所以我們不受，就不會受到傷害。爲什麼要受？這個受從哪裡來，往哪裡去？隨時保持這樣的觀照，就可以了解我們的感覺、感受，然後從中得到解脫。

第三個是「觀心無常」，觀照自己的心念是沒有常態的。一個小時有六十分鐘，一分鐘有六十秒，依照佛經的說法，一秒鐘有六十個刹那，一個刹那有六十個念頭，有的經典說一個刹那有十二個念頭。如果一個刹那有六十個念頭，那麼一秒鐘就有三千六百個念頭，哇！這個心眞的是變化巨大，沒辦法理解的。

如何看出我們的心念是無常的？這可以和前面的「觀受是苦」合起來看。有一個很簡單的方法，如果你現在正處在一個痛苦的狀態，覺得人生非常痛苦，那麼，每天早上起來就做一個這樣的觀照：「我發誓今天要保持像現在這樣的痛苦到晚上，二十四小時都不要失去這個痛苦。」看看你做不做得到。

我相信你做不到，等一下去洗臉刷牙就忘記了，洗好了趕緊撿回來痛苦一下；吃飯的時候吃到一樣很好吃的東西，也忘記痛苦了，吃飽了再來痛苦；萬一那幾天你突然便祕或者拉肚子，那可能你就好幾天都忘記痛苦了，等到終於好了以後再來痛苦。

做不到是因爲痛苦是有間歇性的，是無實體的，是有受才有的。痛苦的本身跟心念一樣，都是無常的。由於這樣心念跟感受的無常，所以我們要去觀照它，知道它無常，就很容易處理了。

最後一個是「觀法無我」，觀照到萬事萬物都沒有永恆不變的常態或本體。不只是心念感受，這個世間的一切事物都是無常的。我有一位朋友告訴我一件眞實的事情，有一天他去逛太平洋崇光百貨公司，逛到一半想拉肚子，跑去上廁所，一坐下去馬桶裂成三塊，他嚇了一跳，心想怎麼那麼衰。我跟他說不必自認倒楣，因爲所有的馬桶在完成的那個時刻就確定了它有一天會裂開，只不過正好裂在你的屁股上罷了！

痛苦的聚集是因爲我們有情欲的關係，所以化除情欲、轉化情欲，是消滅痛苦的唯一道路。如何轉化內在的情欲？回來觀照你的心吧！不斷的去觀照，你的內在就會漸漸轉化，所以覺悟是柔軟心的第一個本質。

眞實深刻的體驗

柔軟心的第二個本質是「慈悲」。慈是「予樂」，給別人快樂；悲是「拔苦」，把別人的痛苦連根拔起。

什麼樣的人可以眞正予樂拔苦？是修行很好的人嗎？一生都很幸福的人嗎？不見得，只有眞正受過痛苦的人，才可以眞正的慈悲，給別人予樂和拔苦。因爲整個菩薩行的開始，就是一種悲憫的感情，就是因爲自己遭受到很沈重的悲哀，而希望所有的衆生不要像自己這麼悲哀。

地藏王菩薩曾經發過一個很偉大的願：「地獄不空，誓不成佛；地獄若盡，方證菩提。」多了不起的願！爲什麼他可以發出這麼偉大的志願呢？因爲地藏王菩薩的母親曾經墜入地獄，他爲了解救母親而下地獄，看到地獄裡種種悲苦的狀況，因而發願，希望將來所有人的母親都不要墜入地獄，希望將來所有已經墜入地獄的衆生都可以得到解救。

因爲他自己曾經有過那麼深刻的悲哀，所以他可以理解到衆生在地獄的悲哀。如果地藏王菩薩的母親沒有下地獄，我想他也不會發出這麼偉大的願望。

有一個弟子問釋迦牟尼佛說：「世尊啊！誰應該下地獄？」釋迦牟尼佛說：「我應該下地獄；不只應該下地獄，而且要長住地獄；不只要長住地獄，而且要莊嚴地獄。」這樣的精神，眞是令人感動。

觀世音菩薩也是在他的生命裡歷經過很多深沈的悲哀和痛苦的修行，最後才說：「只要我聽到衆生一聲求告的聲音，就要立刻去解救他們。」有一種觀世音菩薩的雕像是一隻脚伸向前、一隻脚盤在蓮花上，這一尊像叫作「觀自在」。盤起來的這隻脚是如如不動的，伸出去的那隻脚是一聽到衆生的痛苦隨時要跑去解救衆生的。

因此，我們可以得到一個非常重要的結論：只有感受到別人的痛苦才能拔除別人的痛苦；只有感受到眞實快樂的人，才能給別人快樂。

痛苦跟快樂的感受都是由於身心柔軟的關係。譬如我說杯子裡的烏龍茶很好喝，爲什麼我知道這個烏龍茶很好喝？因爲我喝過。當我告訴你人生是很痛苦的，那是因爲我眞正的感受到。如果一個人沒有感受到人生的苦樂，是沒有辦法告訴別人生命的痛苦跟快樂。

有一次，我的小孩不聽話，我處罰他，叫他在冰箱前面罰站，他卻在那裡喃喃自語。我走過去聽他到底在念什麼，結果他講了一句話：「從今以後，不想再跟這個世界爭辯了。」哦！我的小孩怎麼那麼有智慧？我都不知道啊！趕快叫他不要罰站了，「來，告訴我，你怎麼想出這句話的？」他說：「這是電視廣告。」

對他來講，這句話是沒有什麼意義的，但是，一個眞實的走過人生道路的人，他可以認識到這句話是眞的很有道理的。不想再跟這個世界爭辯，因爲他已經歷了這個世間的大風大浪了，還有什麼好爭辯的？

我有一個朋友是很有名的攝影師，帶他五歲的小孩來我家聊天。聊到很晚，我送他到電梯門口時，我的朋友就叫他的小孩說：「來，跟林伯伯講一句祝福的話。」這個小孩就立正，大聲的說：「林伯伯，好好的享受人生啊！」講完後，電梯門就關起來。

我站在電梯門口立正大概有五分鐘之久，一個五歲的小孩告訴我說：「好好的享受人生！」我可不可以接受他的建議？很難。因爲他也不知道什麼叫作享受，他也沒有經驗過人生，因此他跟我講是沒有用的。

慈悲也是一樣，一定要自己有非常眞實跟深刻的體驗。

慈悲就是柔軟心的極致，當一個人把柔軟心發展到最高的層次，就是隨時保持在慈悲的狀態。

一切衆生喜見

佛經上曾用六個字描寫釋迦牟尼佛的慈悲，「踐地唯恐地痛」，走在地上還怕地會痛。他把地都當作是有生命的東西，所以要小心的、慢慢的走路，這是最深刻的慈悲。我們打蟑螂的時候，都不會覺得牠痛，何況是踐地。所以踐地唯恐地痛，是一個慈悲的、柔軟心的極致。

我看過很多很好的師父，走路都好像騰空在走一樣。像花蓮的證嚴法師，走路就彷彿完全不踩到地一樣。有一次她跟一群弟子去探訪病患，走過一段泥濘不堪的田埂路，走到病患家門口時，所有的人都把鞋子脫下來敲掉黏在鞋子上的泥土，只有師父沒有這麼做，因爲她的鞋子都是乾淨的。北投農禪寺的聖嚴法師也是一樣，走到你身邊看你一個小時，你都還不知道。走路有聲音的大概是星雲法師，這並不是他的修行不好，而是體重太重。

《法華經》裡提到一位偉大的菩薩，叫作「一切衆生喜見菩薩」。「一切衆生喜見」是一個很了不起的標準，爲什麼衆生喜見他？因爲他完全處在身心柔軟的狀態，所有的衆生在他的身邊都可以感受到安全、無畏，不會受到傷害，並且得到加持力。如果這個世界上還有一個人討厭看到我們，還有一個衆生畏懼我們，就表示我們的身心還不夠柔軟。

我想，如果一切衆生喜見菩薩走在暗巷裡，狗看見他一定不會對他叫，反而會對他搖尾巴示好。回到家裡一開燈，所有的蟑螂也不會四處竄跑，而會全部排成一隊迎接他回來，然後跟他說：「菩薩，你今天做的蛋糕不錯哦！」一切衆生喜見菩薩因爲已經完全處在一種無分別心的狀態，所以可以用一個好的狀態來包容一切的事相。

這個世界是一個相對的世界，如果可以超越這個相對的界限，就可以處在無分別心的狀態。

《大智度論》裡提到，有一次釋迦牟尼佛和一個最有智慧的弟子舍利弗一起在田野間散步，剛好有一隻老鷹正在追逐一隻鴿子。當鴿子幾乎被老鷹抓到時，看到了佛，非常高興，心想得救了，趕緊俯衝躲在佛的影子下。老鷹看到釋迦牟尼佛，殺心頓滅，便饒過鴿子飛走了。鴿子躲在佛的影子下十分的安心、愉悅，可是當跟在佛後面的舍利弗的影子蓋在鴿子身上時，鴿子就開始緊張害怕，咕嚕咕嚕地叫。

舍利弗覺得奇怪，就說：「世尊啊！我跟你一樣都是得道的聖者，爲什麼鴿子躲在你的影子下可以毫不害怕，而躲在我的影子下卻非常驚懼？」釋迦牟尼佛說：「那是因爲你的習氣還沒有斷淨。」我們千萬不要因此看不起舍利弗，如果有一隻鴿子飛到你家的陽台，你走過去試試看，情況就像看到老鷹是沒有兩樣的。所以我們跟舍利弗比起來還是差很遠的。

自己可以發光的智慧

柔軟心的第三個特質就是智慧。智慧有幾個特點，第一，自己發光，永遠不失去主體性。「智」這個字，是上面有一個知識的「知」，下面有一個「日」、一個太陽。所以智慧跟知識是不一樣的，智慧是自己可以發光的知識，而不是透過別人告訴你，由你講出來的知識。

太陽也有幾個特色，首先是太陽有觀照的能力，凡是太陽所照到的地方都是清清楚楚。這種觀照的能力如果發展到最高境界，就稱爲「妙觀察智」，對一切的事物都有微妙的觀察的智慧。

太陽的第二個特色是平等，它什麼都照，它也照李登輝、也照彭明敏、也照陳履安、也照林洋港、也照流氓、也照警察、也照一隻老鼠，一律平等對待。發展到最高的智慧就是「平等性智」，了知衆生的一切佛性是平等的。

第三個特質是有生命力，太陽所照耀到的地方，萬物都會生長。這種生命力發展到最高的境界，稱爲「成所作智」，所做的一切都可以成就。

第四個特色就是它非常的廣大，遍照人間。發展到最高的境界就叫作「大圓鏡智」，好像一面大的圓鏡子一樣，顯現出人間的本來面目。如果一個人具備這四種智慧，他就成佛了。

我們可以用〈普門品〉裡的一段話來說明如何訓練自己的智慧：「眞觀清淨觀，廣大智慧觀，悲觀及慈觀，常願常瞻仰。」這稱爲菩薩的五觀。

眞觀，是對事物有眞實的觀照。清淨觀，就是永遠保持良好的觀點來看世界，然後永遠看到別人好的一面。如果你看到別人的污點，並不表示這是別人的污點，而是表示我們自己還沒有清淨。這就好像賣皮鞋的人看你一定會先看你的皮鞋，牙醫一定先看你的牙齒，賣衣服的一定先看你穿什麼衣服；我們會看到別人的缺點，那是因爲我們內在的習氣還有缺點的緣故。

廣大智慧觀，是隨時使自己的智慧比上一刻更廣大，今天比昨天更廣大，這個月比上個月更廣大。悲觀及慈觀，我舉例說明，有一位朋友走在路上，看到流浪狗就走過去跟狗說：「喂！我家的環境還不錯，如果你願意到我家來住的話就跟我走。」這些流浪狗竟像聽得懂他的話，就跟著他回家，然後他就養起狗來，已經養十幾隻了。我也想來學學他，可是流浪狗看到我就一直對著我狂吠，害我很慚愧，畢竟我的慈悲比不上這位朋友。

這五觀做完了以後，要常願常瞻仰，常常有這樣的願望，常常去瞻仰和學習那些比我們有智慧、比我們慈悲、比我們廣大、比我們清淨、比我們眞實的人，我們的智慧就會跟著大開。我們智慧大開的時候，就會處在一種沒有掛礙的「無礙」狀態、「無住」狀態，及非常廣大的「無限」狀態。

無礙就像繩子跟盒子的關係，當我們變得像繩子一樣，則不管什麼樣的盒子到了我們手上，都可以按照盒子的形狀來調整我們這條繩子，以便綁住盒子。

無住就有如河水一般，向前流去，前念、後念不相顧望。河永遠不執著的，每次所碰到的河水都是不一樣的，因此，不要去執著前面所碰到的那一次的河水，應該回到此刻的河水，這個叫作「應無所住而生其心」。「應無所住」並不是沒有心，而是沒有執著但是有心，這是非常了不起的狀態。

無限就好像空氣一樣，無限最重要的就是把你的智慧打開。《楞嚴經》中，釋迦牟尼佛說：「我有一個瓶子，現在把它蓋起來，請問這個瓶子裡的空氣是哪裡的空氣？當然是這一個地方的空氣，這個地方暫且叫作甲地，所以瓶子裡的空氣是甲地的空氣。現在我把這個蓋著的瓶子拿到乙地來，請問，瓶子裡的空氣是甲地還是乙地的？當然還是來自甲地的空氣。那麼如果我把瓶子的蓋子打開，等一分鐘以後，請問瓶子裡的空氣是甲地的還是乙地的？」

一個有智慧的人，就是把他的蓋子打開，在甲地的時候，裡面就是甲地的空氣，到乙地的時候，裡面就是乙地的空氣。這就是「法性一如」的道理，也就是說，這個世界上的法性是遍一切處的。我們之所以不能了解這個法的滋味，原因就在於沒有把自己智慧的蓋子打開。

我們可以說，柔軟是一個人處在無礙、無住跟無限的根本，要使我們的身心處在一種柔軟的狀態，以開發我們的智慧。

永不失去生命的願望

柔軟心的第四個本質是願力。願是志願的願，力是成就一切的根本。如果一個人沒有願力，那很可怕，到了三十歲時身心就開始走下坡。如果一個人到了三十歲，對人生就沒有願望，沒有熱情，無異於是一步一步走向死亡的道路。

我們可以在佛菩薩身上看到，願力是佛教存在的一個非常重要的理由。釋迦牟尼佛是因爲出了城門，看到生命的痛苦而發願，希望自己以及衆生都可以從痛苦中解脫。有這樣的願力，他便開始去修行。

《阿彌陀經》上提到，當阿彌陀佛還是法藏比丘時，因爲感受到衆生的苦難而發過四十八個大願，要創造一個極樂世界。極樂世界是一個理想與圓滿的象徵，是一個快樂的地方，而不是一個嚴肅、枯燥、乏味的地方。

人生好像眞的很嚴肅、很乏味，算算看路上有幾個人是面帶微笑的人，眞的很少很少，大部分的人都是愁眉苦臉，無法得到喜悅。所以，如果我們要了解淨土，跟別人講淨土時，就不可以使淨土變成一個嚴肅、枯燥和乏味的地方。

有一次我跟我的孩子去聽一個師父講《阿彌陀經》，講得非常的嚴肅，會場上有一半以上的人都睡著了。聽完之後，我兒子問我一個非常有趣的問題：「爸，西方極樂世界可不可以玩遊戲？」我說：「爸爸也沒有去過，所以不知道可不可以玩遊戲。」結果他很篤定的跟我說：「西方極樂世界如果不能玩遊戲，我就不想去了。」小孩子是最柔軟、最真實的，從他們的眼睛我們可以看到，如果西方極樂世界不能玩遊戲，連小孩子都不想去。

西方極樂世界是一個很美好的象徵，小孩子去那裡可以找到他們的蹺蹺板和盪鞦韆，大人到那裡也可以找到他嚮往的東西。這些東西是從哪裡來的？是從阿彌陀佛的願力而產生的。這些願力都來自於他柔軟的感受，感受到世界的苦難、地獄的痛苦、人生的悲苦，而發願去救度。

你的願望是什麼？小時候，每個人都有很多的願望，但是過了三十歲，願望就越來越少了，那表示我們的身心越來越僵化了。

觀世音菩薩曾經發誓一定要度盡一切眾生，如果沒有度盡一切眾生之前就退轉，那麼就讓他的腦袋裂成千片。發完這個願以後，他就努力地去解救一切眾生。經過很多生輪迴，他悲哀的發現，眾生是不可度盡的。他心想：「自己以前怎麼那麼笨，幹嘛發那麼大的願？若發小一點的就好了，可以度自己的父母、度自己的妻子丈夫就不錯了，度盡一切眾生是不可能的。」他開始退轉了。

經典裡記載，這時他的腦袋立刻裂成千片，接著，阿彌陀佛就從他的腦裡出現，阿彌陀佛是觀世音菩薩的師父，告訴他說：「你以前度衆生的方法太過艱難了，太複雜了。我現在教你一個度衆生的簡單方法，就是念『嗡嘛呢叭彌吽』。」觀世音菩薩從這個咒中得到很大的啓示，結果他的腦子就變成一朵千瓣蓮花。

觀世音菩薩問阿彌陀佛：「這個咒到底是什麼意思？」阿彌陀佛說：「這個咒是要祈求內心的蓮花開放。」

《金剛經》說：「如來善護念諸菩薩，如來善付囑諸菩薩。」只要你發願，只要你發起柔軟的菩提心，那麼這世間的諸佛就會來護念我們、付囑我們。這種護念跟付囑就好像母親對待孩子那麼柔軟，因此，女性如要了解柔軟心、要覺悟、要學佛，可能比男性更容易。因爲菩薩的心就是媽媽的心，柔軟的心就是媽媽的心。

曾有一位女性告訴我說她不想信佛教，我就問她爲什麼，她說：「你們佛教男女不平等。」「爲什麼？」「因爲所有的佛發願，都說如果我要創造一個佛國，但願我的國中沒有女人，你看，多麼歧視女性啊！」我說：「那是因爲所有發這些願的佛都是男人。妳也可以修行，將來成佛時就發願，但願妳的國中沒有男人，全部都是女人，所有的男人要來妳的國裡投生，都要轉男成女。」願力其實是有很大的空間去發展的，可以使我們保持在一個柔軟的狀態。

實踐人生的學習

柔軟心的第五個本質是實踐，不斷的透過實際去做，來完成我們人生的學習和任務。在禪宗裡，馬祖道一與百丈懷海兩位偉大的祖師，在創制叢林清規的時候，定下了一條非常重要的規矩，這條規矩使中國的佛教經過很多的災難仍能免於滅亡。這條規矩，只有八個字：「一日不做，一日不食。」如果不實踐，一天不做就一天不吃飯。

百丈禪師活到九十歲，徒弟看他那麼老邁了還要工作，於心不忍，就把他的鋤頭藏起來，不讓他做了。但是從他的鋤頭被藏起來那天開始，他就絕食抗議，連續三天都不吃飯。徒弟問他：「師父您爲什麼不吃飯？」他說：「因爲我定過一日不做，一日不食的規矩。我自己如果不遵守，誰會遵守呢？」徒弟聽了便趕快把鋤頭拿來還他。結果百丈禪師工作到九十六歲，工作到他死的那一天爲止。

爲什麼百丈禪師不定「一日不坐（打坐）」，一日不食」，或者「一日不想（觀想）」，一日不食」的規矩呢？因爲只有身體力行才是最重要的。依照佛典所說，實踐可以分成六個部分，稱爲「六度」：布施、持戒、忍辱、精進、禪定以及智慧。

所謂布施，就是圓滿的給予，沒有施者、沒有受者、沒有給的東西。

持戒，就是透過一個圓滿的訓練，使自己的身心處在一種圓滿的狀態：如果一個人處在圓滿的狀態，根本就不需要戒律，戒律是爲那些會觸犯的人而設的。

忍辱，就是圓滿的寬容。「忍辱」二字感覺很壓抑、很委屈，翻譯成寬容就很好。有一天我在逛百貨公司，看到一個櫃枱小姐坐在櫃枱前愁眉苦臉，一直在紙上寫東西，我探頭看看她在寫什麼，上面寫滿了「忍、忍、忍……」。很多人都有這個習慣，在紙上寫了幾百個忍字，這樣是很痛苦的，最好是寫完後，燒掉泡茶喝，喝下去看看有沒有效果。如果你把它變成一種寬容，積極的寬容你所遇到的一切不好的事情，那就不用忍得那麼痛苦了。

精進，就是積極的態度，而且這種積極的態度應該一直保持到死前的一刻。佛教最了不起的地方，就是告訴我們死後還有淨土，死後還有世界。當你認識這一點時，即使在生命最後的一刻也可以微笑面對，因爲你知道將來可能到更好的地方去。

禪定，就是透過專注使自己圓滿。其實並非只有在蒲團上打坐才能禪定，任何地方都可以做到禪定。當你手中有一杯茶，那就好好的喝這一杯茶，專注的喝這一杯茶，這就是禪定。所以祖師們常常告誡我們：「喝茶去」、「洗缽去」、「睡覺去」，吃飯的時候好好的吃飯，睡覺的時候好好的睡覺，回到此刻，專注於此刻。爲什麼要專注於此刻？因爲過去跟未來都是不可把握和期待的。

小時候，我們家有一個很大的院子，台語叫作「門口庭」，那裡種了很多樹，每個小孩都要輪流去掃落葉一個禮拜。掃地是很辛苦的工作，我便問父親有沒有比較省力的掃地方法，父親說：「要掃地之前，先把樹搖一搖，明天要落下來的葉子今天先掃一掃，明天就比較輕鬆了。」於是我們每次掃地就去搖樹，把樹葉搖下來。但是很奇怪，不管怎麼搖，明天總有明天的樹葉要落下來，大家就更大力的搖，最後搖死好幾棵樹。

明天的樹葉眞的可以拿到今天來掃嗎？不可能的！不要說明天，就算你把地掃得很乾淨，一陣風來，樹葉又掉下來了。所以我們要做的事情不是去期待明天或管昨天的事情，而是要每天把每天的地掃乾淨，這就已經完成了今天的工作了。當樹葉落下來的時候，就去觀照樹葉怎麼樣落下來，這個叫作禪定，回到此刻，對所有的事物都保持一種專注的狀態。

內心就坐著一位大師

智慧，就是了了分明，洞悉一切事物的實相。我們要使智慧變成我們實踐的力量或我們實踐的東西，而不是別人告訴我們的。有一位朋友介紹了一位新朋友給我認識，這位新朋友認識了許多大師，坐下來就可侃侃而談哪一位大師講了什麼話，哪一位大師做了什麼事，可以講上好幾個鐘頭，講到最後只有他自己沒有見解。

我們寧可認識自己內心那一位大師，也不要做一個認識許多大師而沒有自己見解的人。

我們的內在就坐了一個大師，這個大師就是如來智慧德相。回來認識我們的大師、開發我們的智慧吧！

要認識自己內心的大師，第一步就是使心性柔軟，來聽聞、來思惟、來修行、來欣賞、來品味、來體驗。看看天上的雲和山間的水，都是因爲柔軟而得到自由，這是爲什麼古代求道的禪師叫作「雲水」的緣故。讓我們的內心如雲如水，我們就可以在波動的生活、波折的人間，處處安住了！

野鳥保護與心的天空

野鳥保護與心的天空

最近這幾年，我常常被誤爲是名嘴，所以很多人找我演講，而且有的題目連我自己都非常陌生。像不久前我去演講，題目是「從佛教觀點談寵物的節育手術」，前幾天我去講了「談臨終關懷與安樂死」，到中央圖書館講「讀者服務」，也去談過戒菸、墮胎等等。

許多人都以爲我什麼都可以講，其實不然，有的題目我一邊講，一邊因爲心虛而發抖，只是大家看不到而已。

同理心・平等心・柔軟心

前幾天，還有一家內衣公司請我去講「女性的內衣之美」，這太離譜了，我只好拒絕。

如果不是太離譜，我都會努力去講，第一是為了和衆生結緣。因為佛法對菩薩的教化裡，有一條就是「廣結善緣」。我覺得自己好像越來越「緣投」了，「緣投」是台語，許多人誤以為是英俊，其實不是，翻譯成國語是「投緣」的意思，也就是看起來順眼。當我們和衆生廣結善緣，久了以後，看起來就很緣投。

第二是為了不拂逆衆生的好意。主辦的人是那麼好意，而且總是說：「如果沒有林老師來講，恐怕場面就冷清了。」我就會開玩笑說：「是不是只要聽衆爆滿，胡說八道都可以？」他說：「是的，是的。」

第三有時候是人情難卻。像有的人找到我的媽媽、姊姊、弟弟找我演講，我就不能不去，人家會說：「剛剛得到傑出孝子獎的人，連媽媽叫演講都不肯來！」

我怎麼那麼勇敢，什麼事、什麼題目都敢講？其實很簡單，就是先有同理心、平等心和柔軟心。

就像現在要談的「野鳥保護與心的天空」，如果我們有同理心，就能站在鳥的觀點來思惟，野鳥是那麼自由快樂，人有什麼權利去傷害牠們呢？何況自詡為萬物之靈的人，保護弱小的動物是天經地義的，不去保護那才奇怪。

至於平等心，依佛法的教化，野鳥的佛性和人的佛性是平等沒有分別的。當我們能與一切動物站在平等的地位，就根本沒有保護的問題。想想哪一天，有一隻鳥跑來說：「喂，林清玄，我請你喝茶！」我們還會傷害牠嗎？

再進一步是柔軟心，一個有柔軟心的人，可以和鳥獸感通，知道鳥獸也有情意，就會像詩裡說的：「勸君莫打枝頭鳥，子在巢中望母歸。」如果我們知道每一隻在外飛的鳥都是別的鳥的父母子女兄弟姊妹，我們就會有一種柔軟的狀態。

確實，只要我們的心夠柔軟，有平等心和同理心，就可以進入生命的任何命題了。

消滅衆生就是減損自我

最近，我在讀毛澤東的私人醫生李志綏的書《毛澤東私人醫生的回憶錄》，讀到毛澤東生前被他害死的人，包括「三面紅旗」、「大躍進」、「文化大革命」等等運動，死的人有幾千萬人，但是他害死的鳥比人還多。

在大躍進的時候，他認為鳥類傷害農作物，致使稻米產量不高，所以就下令全國人民一起來消滅野鳥，包括麻雀、鴿子，凡是在田野上飛的都叫野鳥。結果全國總動員，開始捕殺野鳥，甚至連天空中飛的都不放過。他們拿臉盆日夜不停的敲，使那些野鳥無法棲息，最後累得都摔死了。幾乎全國的野鳥都被消滅掉，非常可怕。

大家以為從此農作物產量會大增，沒想到第二年釀成蝗災，因為野鳥是蝗蟲的天敵。再加上旱災，反而減產，餓死了兩千多萬人。毛澤東也因此吃素一個月以表悲哀。

看了這傳記，使人有一個非常大的警醒，平常野鳥在天空飛，我們覺得沒什麼，但牠卻扮演了一個生態平衡的重要角色，沒有牠們，我們的生活可能受到威脅。野鳥在生物鏈裡是非常重要的一環，我們消滅了野鳥，牠們雖然不會報復，但大自然就失去平衡，這種平衡的失去，對人類就是最可怕的報復了。

日本東京發生的毒氣事件，自衛隊去搜查「奧姆眞理教」總部時，發現他們的基本配備是防毒面具和金絲雀。因為金絲雀對毒氣非常敏感，只要有一點毒氣，牠們就會馬上死亡，由此可測知某地是否有毒氣。

大概十五年前，我到台灣很多礦坑去採訪，看到他們也在礦坑掛著金絲雀，也是由於金絲雀對瓦斯等毒氣很敏感，人們就可因此預防災禍的發生。所以有些動物的本能是超越我們的，也可以說是環境的先知先覺，不只是鳥類，連低等的動物也是一樣。

我曾看過一個報導，提到基隆郵局有一天突然到處都是蒼蠅，檢查後發現是從一個郵包裡飛出來的。這郵包是農林廳寄給檢驗蔬菜水果的單位，裡面是蒼蠅的蛋，因爲天氣熱，蒼蠅就提前孵出來了。爲什麼要寄蒼蠅呢？原來檢驗儀器不夠，而蒼蠅對農藥很敏感，一有農藥，就會死亡，從前在沒有儀器的時代，就是用蒼蠅來檢驗農作物上是不是有殘存的農藥。

所以，像野鳥這樣的動物有時是比我們更先知先覺的，中國古詩有一句說「春江水暖鴨先知」，鳥有些方面是人比不上的。

有些人討厭野鳥，甚至去殺害野鳥，有時候是心理上的問題。譬如有時我們會起瞋心，看到別人高興，自己就不高興；看別人痛苦，自己就開心。同樣看到鳥在天空自由飛翔，心中就不快樂，所以在台灣就有很多鳥類事件，像每年秋天在恆春把紅尾伯勞鳥抓來烤著賣，這顯示人的內心裡是有很大的缺陷的。這種捕捉野鳥、傷害野鳥，對我們人心造成的傷害，有時候是難以想像的。

天上飛的野鳥和地上的人心，表面上毫不相干，其實關係非常密切。我來舉個例子，在信義路和臨沂街的交叉口附近，幾年前有一個人專門賣貓頭鷹，我常經過，就跟他說：「這世界上有很多種工作，只要你努力，賺的錢不會輸給抓貓頭鷹。」他說：「你不要傻了，抓貓頭鷹不要本錢的。」

兩年後的冬天，我又路過時，看見他穿著一件灰色的外衣，頭髮亂亂的，蹲在那裡，遠遠看去，眞的很像一隻貓頭鷹。因爲他的心思整天都與貓頭鷹在一起，自然而然成了貓頭鷹，但自己卻不知道。所以一個人的心和他的環境是很有關係的。

假如我們看到野鳥在飛時，會感到很開心，那表示我們有一個非常健全的心；如果我們對野鳥在天空上飛產生了嫉妒心，甚至傷害牠們，就是我們人心有了問題。

在台灣其實很多人的心都是有問題的。世界各國，只要是有一點文明的國家，都會善待野生動物，人和野生動物是和諧的共存著，這給我們的感受其實是很有情意的。

生命的尊嚴不分大小

從佛教的觀點來看，我們應該保護野鳥，因爲釋迦牟尼佛說過衆生皆有佛性，衆生的佛性皆平等。我們人常會覺得自己比其他動物高級，因爲我們好像什麼都會，我們也會飛，因爲有飛機，也會遁地，也會潛水，我們幾乎無所不能。但若仔細觀察，其實每一個衆生的身上都有我們不及的那種特質。

看佛的本生故事就會知道佛在過去生的輪迴中，也當過獅子、鹿、鳥。最有名的一個故事是，釋迦牟尼佛有一世是一隻鴿子住在森林裡，有天森林大火，所有的動物不斷奔逃，這隻鴿子就不斷的飛到遠處含一滴水回來救火。這引起了天帝的嘲笑，而現身問牠：「你爲什麼這麼愚蠢啊？」鴿子說：「我雖然知道火這麼大，水這麼少，但我是盡我全部的力量想要熄滅這大火啊！」天帝受到感動，就大吼一聲，下了一場大雨，熄滅了大火。所以如果你在路上打死一隻鴿子，很可能牠是未來的佛啊！

佛說衆生平等是一個很重要的觀點，如果我們了解輪迴，就不只是要保護人，也要保護所有存在這世間的動物。不管是什麼動物，凡是誕生在這世間，就有生存的權利。以人的觀點來看，人當然是衆生裡最強勢的，予取予求，要殺要剮都由人。可是強勢的人是否有剝奪弱勢衆生的生存權呢？這是值得思考的問題。

如果是從佛法的觀點看，恃強凌弱會斷喪一個人的慈悲心，而殺死具有佛性的衆生，則是違犯最重大的殺戒。

鳥不是爲了人而存在的，在地球上還沒有人之前，就有鳥了。鳥的存在有牠本身具足的生命的意義與尊嚴。生命的意義與尊嚴是不分大小，也不分強弱的，我們來講一個佛經的故事就可以理解了。

生命就是生命，一律平等

在釋迦牟尼佛的過去生中，有一輩子他是個修行人，有一隻老鷹追殺一隻鴿子到了他那裡，修行人就保護那鴿子，老鷹抗議：「你是一個修行人，應該有平等心，不能只愛鴿子，不愛老鷹。你保護鴿子，我沒東西吃就餓死了。」

這修行人聽了說：「好，我也保護你，可是鴿子已經飛到我懷中，不如這樣吧，我割一塊和那隻鴿子等重的肉送給你，吃完了你就走吧。」老鷹同意了，於是擺一個秤，修行人就從右手臂開始割，然後割左手臂，一直到全身的肉都割完了，還是沒法和鴿子等重。最後，修行者只好自己跳到秤上，這時，秤才平衡了。

這個故事給我們的啓示是，只有生命可以和生命相交換。生命是同等珍貴的，一隻老鷹、一隻鴿子、一個修行者，不能用身體的重量衡量，也不能用心靈的高度衡量。生命就是生命，一律平等。

由於生命平等，佛性平等，心平等，所以衆生才能互相體貼，互相溝通，互相關愛。

在《大智度論》裡還有另一個老鷹和鴿子的故事。有一天，釋迦牟尼佛和他的大弟子舍利弗在田野間散步，也是有一隻老鷹追殺一隻鴿子，鴿子急忙中看到佛就飛在佛的影子下，老鷹看到佛，殺心頓息，就飛走了。鴿子在佛的影子下非常安詳。

釋迦牟尼佛走在前面，舍利弗走在後面，而當佛一走，舍利弗的影子蓋住了鴿子，鴿子就騷動不安。舍利弗覺得很奇怪，就問佛：「世尊，爲什麼鴿子在你的影子裡那麼安詳，在我的影子裡卻騷動不安呢？」佛說：「因爲你的身心還沒有完全純淨，所以鴿子才會感到不安。」

從這故事可以得到一個啓示是，如果你用非常純淨的身心來對待身邊的衆生，衆生也會用非常平靜的心來對待你。

我有時會到國父紀念館去餵麻雀，後來麻雀都認得我，我只要一靠近，牠們就圍過來對著我叫，從這個過程可以感受到鳥其實是很有細微的知覺。

像國外的公園有許多鴿子和麻雀都不怕人，和人類像是朋友一樣。在海邊的海鷗、海鳥，甚至大雁、海獅，也會跑來和人一起散步，這就是以清淨心互相對待的結果。所以，鳥的心也是非常細膩純淨的。

台灣四面環海，可是海邊卻看不到一隻海鳥，這是不可思議的。原因是，幾十年的海岸管制，海邊都由軍人駐守，軍人一看到海鳥就抓去進補，久而久之，海鳥奔相走告，全部不敢來了。可見鳥有很微細的知覺，而且還勝過人類。

有一次我和台大動物系的教授到墾丁南仁山去做研究，那兒有一個南仁湖，到了秋冬時，湖面上整片都是候鳥，因爲那兒是特定保護區。牠們有的是從幾萬哩外飛來的，那種精確度恐怕人類的科技都無法趕上，這樣的生命我們怎麼忍心去殺害呢？

像恆春最有名的灰面鷲和紅尾伯勞，都是飛過半個地球才到台灣來，年復一年又回到老家去，牠們的身上就好像帶著最先進的羅盤、追踪器和定向儀一樣。可是我們台灣人給了牠們什麼樣的尊重與待遇呢？

鴕鳥的智慧

我們如果從人的角度來看鳥，有時會用荒謬的、自私的想法。像我們最常嘲笑別人「鴕鳥心態」，認爲鴕鳥遇到危險不會逃開，只會把頭埋進沙裡面。其實，這是天大的錯誤，有一次我讀到一個動物學家的研究報告，鴕鳥根本不是把頭埋在沙裡躲避危險。

當鴕鳥孵蛋時，牠們的長頸子和顯著的高高的頭，會變成明顯的目標，食肉的動物數里外都會看見。因此，牠們發明一種非常有智慧的方法，就是沿著沙丘把脖子伸長，不但從遠處不會被敵人看見，看起來還像一堆沙丘。

不孵蛋的鴕鳥，遇到危險，會急速的逃開；可是孵蛋的時候，爲了保護兒女，牠不會逃開，反而想出這麼聰明有效的僞裝。這裡面，隱藏了多麼深的智慧和愛心呀！

可是，人往往不能了解這個眞相，所以，人才是比鴕鳥更鴕鳥的衆生呢！我們要愛惜動物，一定要從動物的觀點來思惟，而不是以「人是萬物之靈」的心態來思惟。

在佛教裡有一種活動是放生，我覺得有些放生是非常荒誕的，有的人要放生，會選定日期，要先去訂貨，再去放生。爲什麼大家要做這種費力的事，把衆生抓來、再把牠放掉？因爲大家認爲這樣是有功德的。事實上，這功德是值得懷疑的，因爲沒有從生命的角度來思考。

聖嚴師父曾經說過不要放生，因爲放生就是放死，只會帶來更大的業障而已。特別是現在的環境複雜，每到一個地方去放生，那個地方就會產生很大的問題。像植物園的荷花都開不起來，是因爲有很多人去放生，生態都破壞了。所以有一個重要的觀念就是，還給大自然存在的生命一個本來的樣子，不要去破壞它們。

放生的動機或行爲其實是好的，我以前也常去放，都快變成專家了，知道放到哪裡比較容易活，但是當放生變成一種形式時，就不太好了。就像現在我們反對高爾夫球場占據國土，但並不反對高爾夫球這項運動一樣；我們反對放生這種形式，但並不反對愛護生命、讓生命獲得解救的態度。如果你是站在爲衆生考量的觀點上，當然可以放生，一旦落入形式，就不是很好。

護生比放生重要

我們一般人去放生，有很多不是眞正慈悲生命的，而是爲了自己的身體健康、事業成功、愛情順利、消災延壽，是從私心來出發的。我自己也曾經那樣子去放生，以爲是做了很大的功德，直到有一次到阿里山去放生。

那次我們花很多錢請師父買麻雀，跟著師父去放生。一到放生的地方，發現山坡上都是小鳥的屍體，我就問附近的人：「爲什麼有這麼多鳥屍？」他們說：「還不是昨天一大群佛教徒來放生，一天就死光了。」那是因爲他們把低海拔的鳥放到高海拔，當然活不了。

這種現象在台灣很多，例如在南海路的植物園，也常常會看到鳥的屍體，那是因爲把高海拔的鳥放在低海拔的公園了。這是放了才死的，再想想，小販去山上捉野鳥，一捉一放之間，要死去多少的鳥呀！

有一天，我在陽明山上看到十幾隻純白的鸚鵡，看起來是很美，可是如果我們把許多外來種放生到台灣的山林，本土的鳥類就會被淘汰了。比起放生的功德，放生的業障好像也很大。

就像在阿里山那一次，我問師父：「如果我們放生的鳥大部分都會死，爲什麼要放生呢？」師父的回答是：「在放生之前，我們都給牠們三皈依，並且爲牠們說法，所以放死了也沒關係，牠們會去往生更好的地方！」

我覺得這種想法很鄉愿，就像把一群人載到北極去，要放他們去冰天雪地之前，先給他們三皈依，然後不管死活的丟下去，反正，死了就去往生了。

所以，從那次以後我就不再放生了，我認爲護生比放生重要，也比放生有功德。護生也不是鳥類學家或野鳥協會的專利，而是人人都可以做的。

譬如說，在台灣野鳥的死因非常奇特，有的是吃了農藥死亡，有的是呑了電池和塑膠袋死亡，還有的是吃了BB槍的子彈而死亡。所以，我們隨手在山林丟一個電池或塑膠袋，可能就會害死一隻鳥。當我們學會不污染山林、不破壞環境，就是最大的功德呀！

包容野鳥的，只有天空

最後，我們來談談天空中有鳥自由自在的飛，實在是非常美、非常幸福的事。如果一個孩子能在小的時候就看見這種美，體會這種幸福，長大以後，他的心一定會非常廣大，像天空一樣。因爲這世界能包容野鳥的，只有天空！

我一直相信能愛護動物的人比不愛護動物的人，有更慈悲的心，也更能包容。一個人養成尊重生命的態度，自己的生命也就莊嚴了；一個人能與宇宙的生物共處，和人的溝通又有什麼困難呢？

日本的道元禪師曾寫過一首悟道詩：

空闊透天，
鳥飛如鳥；
水清澈地，
魚行似魚。

天空多麼廣大呀！鳥飛得都像鳥一樣；水裡多麼清澈呀！魚游得都像魚一樣。這首偈是在講一個人的心要廣大清澈，才能自由自在。如果我們的天空裡，鳥飛得不像鳥，魚游得不像魚，就非常的可悲了。

我也很喜歡白居易和杜牧的兩首詩，白居易的詩是：

誰道群生性命微，

一般骨肉一般皮；
勸君莫打枝頭鳥，
子在巢中望母歸。

誰說衆生的生命是卑微的，牠們和我們的骨肉皮膚都一樣呀！勸你們不要打棲在枝頭的鳥，可能有孩子在巢裡盼望母親的歸來。

杜牧的詩是：

已落雙鵰血尚新，
鳴鞭走馬又翻身；
憑君莫射南來雁，
恐有家書寄遠人。

看到已經掉落的兩隻鵰，流出來的鮮血還是新的，執鞭跳上馬背繼續往前走，希望你不要射殺南來的大雁呀！恐怕身上有北方寄來的家書給遠地的人。

像這樣的詩，使我們感動不已。如果我們可以教給孩子，從小養成他們美好的心靈，愛生惜生，一定會使我們的社會更和諧、更光明！

我現在閉起眼睛，還可以看見鳥飛過田野，飛入群山與白雲的景象，這種幼年的景象使我居住在繁亂的都市中，也能開闊和平靜。我的心裡有天空，天空裡有鳥飛翔，這樣，我們生命的觀點就開闊而高遠了。

學習佛法，不就是希望進入一個更開闊、更高遠的境界嗎？

平常不平凡·單純不簡單

平常不平凡・單純不簡單

報紙上每天都會登出很多人都有平常心，特別是政治人物，發生火災了也是以平常心看待，地震了也是以平常心看待，然後土地崩裂了、斷水了他們都是以平常心看待。奇怪！他們的平常心好像跟我們的定義不太一樣。

道不用修，但莫汚染

「平常心」三個字，其實最早是由中國的禪師提出來的。有一位非常偉大的馬祖道一禪師，他是第一個講平常心的祖師，他說：「一個人要修道，道不用修，但莫汚染，這個就是平常心。」現在我們常常講：「我要去修道。」當你有這樣的心的時候，其實就不平常了。

他說：「你在生活裡面如果做任何事都不被污染，那個就是道。所以，平常心是沒有是非、沒有斷常、沒有高下、沒有對錯的，沒有污染的心就叫作平常心。」

馬祖道一講的平常心，後來在禪宗裡面變成一個非常重要的修行精神。例如趙州從諗禪師、南泉普願禪師都常常講平常心之道。

有弟子問師父說：「師父，什麼是最好的修行？」

師父的回答是：「吃飯的時候好好的吃飯，睡覺的時候好好的睡覺，喝水的時候好好的喝水，這就是最好的修行。」

弟子們就不了解：「師父，一般人不都是這樣吃飯跟睡覺嗎？爲什麼他們不叫修行，你就叫作修行？」

師父就說：「因爲一般人吃飯的時候百般需索，睡覺的時候千般計較，所以他們那個不是平常心。」

喝茶這麼簡單的事情，怎麼可以說是修行呢？其實喝茶不簡單啊！你現在把一杯茶端起來，要喝之前心裡先升起一個念頭：「好好喝這一杯茶，因爲一百年後就喝不到了。」哇！

這個喝茶就變成不簡單了。好好的孝順父母，因爲一百年後再也不能孝順；好好的疼惜兒女，因爲一百年後再也不能疼惜他們。當你有這種見解的時候，你的心就可以從在需索、計較裡面紛飛奔馳的狀態，回到眼前裡面。

現在一般人的心都是不斷的奔馳、散亂。像我的小孩前不久買了一卷錄音帶回來，是由三個年輕人唱的歌，歌詞非常奇怪，「閃！閃！好膽別走，好膽別走。」這什麼歌詞？其中還有一段更奇怪：「跳！跳！跳給伊爽，跳給伊勇，跳到要起猾，跳到擋不住。」聽了這歌詞眞叫人嚇一跳。這一段歌詞正好可以象徵現代人的心是不能安住的，我們每天都想往外去跳、向外去奔馳。

在家裡坐著無聊，找幾個朋友來打麻將吧！這就是一種奔馳跟散亂。或者在家裡坐著無聊打個電話約朋友說：「我們到快樂頌去卡拉OK吧！」很危險哦！回到家裡嫌太太做的飯不好吃，不然到衛爾康西餐廳吃飯，又出問題了，這個就是奔馳跟散亂。要防止或者回轉這種奔馳跟散亂的心，就要有平常心。

一個人在年輕的時候，都會追求非凡的成就，希望出人頭地、希望高人一等、希望衣錦還鄉、希望做一個偉大了不起的人，但是卻越來越覺得希望渺茫，好像要做一個偉大的人、要衣錦還鄉，並不是那麼容易追求的。爲什麼呢?那是來自於人生裡有兩個不可控制的變局，第一個變局是生命是無常的。這又有兩個意思，第一個意思就是，凡是誕生在這個世界上的人有一天都會死，而且不知道什麼時間死、死在什麼地方。第二個意思是凡是誕生在這個世界的一切事物，都是隨時隨地在變化的。

生命無常其實很容易體會，看看現在的報紙，每天有五十個版，這些報紙就是爲了世界是無常的而存在的。我們打開第一頁可能會看到奧克拉河馬州政府大樓爆炸，韓國的大秋瓦斯爆炸，日本的東京地鐵毒氣，台北的快樂頌火災，每一次都死掉很多的人，每一次都告訴我們這個世界是無常的。只是一般人都不太願意去面對，因爲一般人都很怕老、很怕死，提到老跟死就好緊張，希望自己都不要遭遇，而且永遠不要遭遇。但是這是不可能的，因爲殯儀館裡面最流行的一首歌就是〈總有一天等到你〉，眞的。

想起來非常可怕，死亡就是這樣一天一天的逼近我們，隨時都很可能再發生可怕的狀況。譬如衛爾康西餐廳大火發生時，那一天晚上我正好在台中市的鬘殊學堂演講，演講之後回到台北，有好幾個去聽演講的人寫信跟我致謝，說我救了他們的命。因爲他們爲了聽我的演講，本來要去衞爾康西餐廳的都沒有去。所以我們得到一個非常重要的結論，以後如果有好的演講都要去聽。

了知生命的痛苦

這場火災之後，我聽到一個令人毛骨悚然的消息。我弟弟在台中當記者，他說衞爾康西餐廳大火的那一天，有個年輕人開車載著他的女朋友，經過衞爾康西餐廳門口時，他的呼叫器忽然響了，可能有緊急的事，他就跟女朋友講：「先靠在路邊停一下，妳在外面等，我進去衞爾康打個電話就出來。」於是他就跑進去衞爾康西餐廳打電話。

他一進去發現前面的公共電話都排滿了人，著急得不得了，就問服務生：「裡面還有沒有公共電話？」服務生告訴他：「櫃台後面還有一個。」他就用跑的，跑進櫃台裡面去打電話。他一拿起電話瓦斯就爆炸，被燒死在裡面，而在外面排隊打公共電話的都逃出來了。哇！

好可怕啊！一秒鐘都不差。

我們想想看，如果他開車開得很快，可能就不會被呼叫到衛爾康裡面，因為他早就開過去了，所以有時候車子開得快也是一件好事。或者他開得慢一點，在前面碰到一個紅燈堵住了，他也不會到衛爾康打電話，所以有時候生命裡碰到紅燈也是好事，可能比較不會那麼危險。

後來他被燒得面目全非，只剩下一個呼叫器還是好的，他的哥哥就是打他的呼叫器認出他的屍體。我聽了覺得很可怕，以後身上不要帶呼叫器，誰在呼叫你？不知道！可能是閻羅王在叫你你也不知道，這就是無常。

無常就是人的生命每一天都可能面臨死亡。不只是我們，我們的親人、我們熟悉的人、我們的朋友，都可能離開這個世間。這個時候我們就會感覺到，生命不是在我們的主控之中，生命不是我們可以控制的，因而對無常的感受越來越強烈。

無常的第二義是對變遷的感受。死亡是由變遷而來，雖然有的死亡是突然發生，但是大部分的死亡是由變遷而來。很多年輕的孩子沒有辦法理解變遷，活到四十幾歲的人，就比較知道生命的變遷是什麼。我們四十幾歲的人每天照鏡子，都會想到自己年輕的時代，長得英俊、秀麗，想起來就很開心，但是現在照鏡子，心情就很沈重。

前一陣子有一齣連續劇「倚天屠龍記」，片尾會唱一首流行歌，裡面有一句最可怕：「今朝的容顏老於昨晚」。我兒子很喜歡唱這首歌，每天上學前就在那裡跳來跳去的唱：「今朝的容顏老於昨晚」，我在旁邊看了心裡想：「你這個小子知道什麼今朝的容顏老於昨晚？」等他去上學了，輪到我照鏡子刷牙、洗臉，站在鏡子前面心情就很沈重。想到二十年前我長得也蠻像林志穎，現在變成很像林志穎的爸爸，心情就很壞。

像我們這種到了四十幾歲的人，都會安慰自己、瞞騙自己。譬如碰到很久沒見的朋友，也是四十幾歲的，兩個人擁抱在一起，互相安慰：「十幾年沒見了，你都沒有變！」心裡卻都在竊笑。但是有覺悟態度的人，就會退後一步說：「十幾年沒見了，沒有大變也有小變，怎麼會都沒有變，都沒有變就死了。」

因爲每天都在變使我們發現，連一根頭髮掉下來都是我們不能控制的，這想起來多麼可怕啊！我常常在吃飯的時候，想到現在我在用的這個碗、我在用的這一雙筷子、我在用的這一個湯匙，可能生命都比我還久，古董就是這樣來的。無常的面對使我們知道，人生中非凡的、偉大的追求，不是人人都可以得到的，這個時候我們就會回轉到平常心。

人生的第二個變局是生命是痛苦的。年輕時我們的痛苦可能非常單純，讀書讀不好、談戀愛不能成功，非常的痛苦，然後在這種痛苦裡面鍛鍊，從中得到一種免疫能力，覺得自己從此可以面對痛苦，但是，沒想到生命的痛苦是源源不斷的。

年輕的時候遭遇升學的痛苦、談戀愛的痛苦，對我來講都是常常發生的，只要看一本我寫的《玫瑰海岸》，就會知道我曾經在愛情裡遭遇過多麼巨大的折磨。讀書也是一樣，我從小功課就很差，都是最後幾名畢業的。光以戀愛和讀書，我們就知道生命的本質是非常痛苦的。

生命的本質有哪些痛苦？生、老、病、死、愛別離、怨憎會、求不得、煩惱熾盛，這是人生的八種痛苦，任何人都會面臨。當我們體會到生命基本上是痛苦的時候，就會覺得人生的追求並沒有辦法如我們所預期的，就會發現平常心是非常重要的。當我們認識到生命的苦跟無常之後，面對生命最好的態度就是平常心。平常心有哪些特質呢？

衆生平等，法平等

平常心的第一個特質是平等心。佛經上說，平等心有兩個含意，第一個叫作衆生平等，第二個叫作法平等。要認識到所有存在這個世間的衆生都是平等的，這一點認識非常困難，因爲我們的習氣和教育使我們認爲，這個世界的衆生是不平等的。

舉例來講，通常我們都會喜歡蝴蝶，因爲蝴蝶很美，非常自由；但是我們都會討厭毛毛蟲，因爲毛毛蟲看起來很可怕，又有毛，可能還會中毒。爲什麼我們會喜歡蝴蝶、討厭毛毛蟲？難道我們不知道蝴蝶就是毛毛蟲嗎？我們知道，可是因爲我們的習氣使我們沒有辦法接納牠，有一天如果你看到毛毛蟲跟蝴蝶一樣美，那就表示你有平等心。

又譬如蚱蜢和蟑螂，我們都會比較喜歡蚱蜢、討厭蟑螂，其實牠們都是一樣的動物，那爲什麼我們會討厭蟑螂呢？因爲牠好像都在垃圾堆裡面很髒，蚱蜢都是在草叢上很美，所以我們就對牠們有不平等的見解。

我以前也對蟑螂有不平等的見解，但是自從學佛以後，就不敢有不平等的見解，因爲《本生經》裡面提到，釋迦牟尼佛在遙遠的前世裡，曾經做過很多不同的衆生，他做過鹿王、做過魚、做過獅子、做過天上的鳥，他甚至做過蝨子。這樣一想就很可怕，你打死一隻蟑螂，可能就打死一個釋迦牟尼佛，因爲那隻蟑螂也可能成佛。所以心裡雖然很討厭，還是勉強自己不要殺牠們，從此就相安無事。

我們家後來就有很多蟑螂，但是牠們都很聽話，若有客人要來，前一天晚上我就向牠們宣布：「明天有客人要來，大家躲一下。」通常牠們都非常合作。有一天我請了西藏來的仁波切，就是轉世的活佛來吃飯，前一天晚上我就宣布：「大家躲一下不要出來，因爲明天要來的是轉世的活佛，活佛在西藏地位是很高的。」

第二天，我就請活佛吃飯，正在吃飯的時候，有兩隻蟑螂手牽著手從桌子旁邊爬上來，我看了之後就好氣，但是牠們還是爬上來。正當我面紅耳赤的時候，這兩位仁波切雙手合掌跟我說：「恭喜你，林居士，你是一個非常有福報的人。」我聽了嚇一跳，爲什麼我是一個有福報的人呢？

他們就告訴我說：「在西藏、印度、尼泊爾、錫金、拉達克這些地方，蟑螂是非常稀有的，所以蟑螂是有福報的人家裡才會有。家裡沒有福報，蟑螂也不要去，所以當地的人看到蟑螂都會很開心。其次，那代表你是有慈悲心的人，如果你沒有慈悲心，殺心很盛，連蟑螂都會感受到，會害怕到你家裡來。現在你看，牠們都成群結隊在你家裡玩來玩去，表示你又有福報、又有慈悲心。」

我聽了覺得好開心，看到兩隻蟑螂爬過去就覺得好可愛，從此對蟑螂的態度就改變了。看到蟑螂倒在地上就把牠翻過來，對牠說：「走路的時候要小心一點，不要莽莽撞撞的。」看到蟑螂掉到馬桶裡面，就用湯匙把牠撈起來，對牠說：「游泳要小心，不要到這麼深的游泳池。」

你對這個世界的衆生有什麼看待呢？我們信仰佛法的人，往往嘴裡講「衆生平等」，可是心裡對衆生是不平等的。不要講衆生，講人就好，對人也有很多不平等。譬如我們看到一個人走出來，其貌不揚，看起來不怎麼樣，突然告訴我們說他是「院長」，我們就肅然起敬，因爲事實上我們看到的不是這個人，而是這個「院長」的頭銜。如果有一個人長得很英俊走出來，跟我們握手，然後人家介紹說，他是學校的工友，我們立刻就會瞧不起他，因爲我們心裡有不平等的見解。

衆生平等的見解，是釋迦牟尼佛立教的一個重要基礎；如果不能夠了解衆生平等，就沒有辦法了解佛教。在釋迦牟尼佛的一生中，他曾經講過三句非常重要的話，都是講到人是平等的、佛性是平等的。

第一句話是釋迦牟尼佛誕生在這個世界上的時候，一手指天，一手指地，說：「天上天下，唯我獨尊。」這並不是說天上天下我最尊貴的意思，而是說天上天下每一個我都是最尊貴的，每一個衆生都是最尊貴的。

第二句話是有一天他在菩提樹下，指著一塊石頭發誓：若不得證，就不起此坐。然後他坐在石頭上，經過七天七夜的禪定，張開眼睛看到天邊一顆明亮的星星，他突然非常感慨的說：「奇哉！一切衆生皆有如來智慧德相，只因妄想執著不能證得。」好奇怪啊！這個世界上一切的衆生都跟佛、如來一樣有非常崇高的智慧跟德相，只是被妄想和執著遮蓋住看不見罷了！這也是在講一切的衆生都有很崇高的佛性。

第三句重要的話是釋迦牟尼佛晚年的時候，弟子問他：「師父，你死了以後，我們要怎麼修行？」他說：「以法爲燈，以自爲燈。」我死了以後，你們要以我教的法做你們的燈，以你自己的心做你的燈。所以自己的心是非常崇高的，因爲衆生皆有佛性，而衆生都是平等的。

衆生雖然佛性上都是平等的，但是因緣並不平等。譬如現在有一隻老虎在咬我的媽媽，反正他們佛性平等，隨牠咬，這樣對不對？當然不對啊！因爲媽媽跟我們有非常深刻的因緣，比老虎的因緣更深刻，應該要從因緣深的救起。許多佛教徒常常在「衆生平等」和「因緣深淺」中搞不清楚，在理上，衆生是平等的，在事上，應該以因緣深的爲優先。

平等心的第二個含意是法平等。法平等就是要認識到這個世間所有一切的法，只要能提升我們的心靈，都是非常有價值、非常尊貴、非常平等的。

佛教徒最容易法不平等，本來在還沒有學佛以前，每天都過得很快樂，有一天突然學佛了，心胸就開始狹小，畫一個圈子說：「我是一個佛教徒，你們都是外道。」這是第一個圈子。畫完了以後，覺得這個圈子還不夠完整，畫第二個圈子：「佛教徒雖然很多，但是我這一派最好，別的派別都會走火入魔。」第二個圈子畫完以後，覺得還不夠完整，就畫第三個圈子：「我這個派別裡面雖然有很多師父，但是我的師父最棒，別人的師父都不行。」接下來畫第四個圈子，圈子越畫越小，畫到最後沒辦法只好自己出來做教主，因爲沒有人比你更了不起。

打破法的分別心

法平等的意思是要打破法的分別心，要打破第一個圈子的是：「我的老師是很棒的，但是我相信別人的老師也很棒，要不然怎麼有那麼多的弟子跟隨他呢？」打破第二個圈子的是：「我的法是非常棒的，我相信別人的法也都很棒，如果不是這樣，歷史上爲什麼任何派別都有偉大的修行者？」打破第三個圈子的是：「佛教是很棒的，我相信別的宗教也都很棒，因爲在歷史上他們都曾經爲人類的文明做過非常偉大的貢獻。」這樣，心胸就會越來越開闊。

在台北我常常經過大安森林公園，入口有一座非常巨大的觀音，是楊英風先生雕塑的。有一段時間大家爭吵得很厲害，有的說要搬遷，有的說不要搬遷。我路過觀世音菩薩像的時候感觸很深，因爲觀世音菩薩的身上被潑滿了油漆、硫酸、鹽酸，可能是其他宗教的教徒不滿佛像放在那裡而潑的。我站在菩薩的面前看著這些硫酸，覺得潑硫酸的人是在造成自己的損失。爲什麼這麼美麗的佛像不能欣賞呢？對美的事物不能欣賞是自己的損失，而不是宗教的損失。

如果我碰到修行非常好的天主教徒，或者非常好的神父、修女、牧師，我會不會頂禮？有一年德蕾莎修女來台灣演講的時候，我看到她就向她頂禮，因爲在我看來，她就跟觀世音菩薩沒有什麼兩樣。

如果我看到一個非常美的、莊嚴的教堂，會不會感動？當然會感動。有一年，我到羅馬的梵蒂岡教堂去旅行，梵蒂岡教堂非常美，是米開朗基羅設計、建造的，非常的莊嚴。走進去的那種感覺，就跟進去非常美的佛教寺廟是一樣的。當時我深信「南無觀世音菩薩」也在梵蒂岡的教堂裡，因爲菩薩、佛，那些高層次的、偉大的修行者，都是無所不在的。這個時候我們對法的分別見解才會打破。

不只在宗教上要進入法平等的境界，對世間法也應有平等的見解。例如尊敬自己受教育時的老師也像崇敬宗教的法師一樣，老師給我們知識的傳授和智慧的開啓，對我們生命的重要性是與宗教一樣的。

再則，對待人生、生活的經典與擺在牆上的佛經也有同樣虔敬的心，恭敬世間對我們有益的圖書就像對待經典一樣。佛教徒常說：「自從一讀楞嚴後，不讀人間糟粕書。」然後什麼書都不看了，這就變得非常狹小。因爲《楞嚴經》雖然偉大，人間也有許多了不起的書。這句話如果改成「一讀楞嚴後，善讀人間書。」就變得非常廣大，進入了法平等的境界。

但盡凡心，別無勝解

當我們有衆生平等、法平等的見解的時候，我們才可能有平常心。除了平等心之外，第二個就是要有平凡心，平凡心就是禪宗祖師說的：「但盡凡心，別無勝解。」「運水搬柴，無非是道。」

要認識到所有存在這個世間的人都是平凡的，沒有一個人是天縱英明的。從歷史上我們知道，中國所有的開國皇帝，都是平凡人出身的，有的是農夫、有的是工人、有的是小公務員。可是等到他們做了皇帝以後，就覺得自己不平凡，並且開始造神運動。然後使他們的後代晚上睡覺都可以看到龍的示現，看到很多奇奇怪怪的東西，來告訴我們他是不平凡的。其實這是很可悲的，因為所有的人都是平凡的。

讀佛教的經典或基督教的聖經，也常常會看到人們把釋迦牟尼佛或者耶穌基督看成不平凡的人。佛經上說釋迦牟尼佛的母親是在花園裡面從腋下把他生出來的，有一位禪師說：「當時若被我看見，我就一棒把他打了丟給狗子吃。」從腋下生出來多麼奇怪，這不是平常的人。如果一個人天生就是從腋下生出來，他後來的修行再偉大，對我們來說都沒有太大的啓示作用。又譬如說耶穌基督是處女懷孕生出來的，以現在的科學怎麼會相信處女可以懷孕，這是後來的弟子們為了使他們神聖化，告訴我們說他們是不平凡的。

其實這個世界上的人都非常平凡，這種平凡的見解是來自於輪迴的觀點。《楞嚴經》說這個世間有六道，也就是六道輪迴，第一道是天人，第二道是阿修羅，第三道是人，第四道是畜生，第五道是餓鬼，第六道是地獄。

六道是怎麼來的呢？第一道的天人，就是有九分智慧一分情欲的人死了以後投胎做天人、神仙。如果有七分智慧三分情欲的人死了會投生做阿修羅，阿修羅就是天王、鬼王、夜叉、乾達婆。什麼樣的人投胎做人呢？佛經裡面說情想均等的人投胎做人，也就是情欲和智慧相等的人會投胎做人。

七分情欲三分智慧的人會投胎做畜生，所以畜生有的也非常有智慧，只是沒有像人那麼崇高罷了。九分情欲一分智慧的人會做餓鬼，所以我們看到小說、電影裡面的鬼都是情欲非常熾盛的。

什麼樣的人會下地獄？佛經裡面說純情的人必墮地獄。我第一次讀到這句話時非常緊張，因為我以前寫信給女朋友都說：「我是這個世界上最純情的人。」如果把佛經加進去就是「必墮地獄！」哇！好可怕啊！但是這個純情跟一般所講的純情不一樣，是指完全依靠情欲生活的人叫作純情的人。

如果把輪迴的表列出來就會發現，現在做人的都是五分情欲跟五分智慧的平凡的人。但是這個世界上很多偉大的事情都是由平凡的人建造出來的，像中國佛教歷史上最偉大的幾個人物，第一個叫作唐三藏。他非常了不起，到印度去取經，從長安步行五萬公里到印度去，再走五萬公里回來。花了十幾年的時間背回來七百五十幾部的佛經，用後半生把這些佛經翻譯出來，影響了整個亞洲的佛教、思想和生活。

這是一個了不起的人，但是他不是一個天縱英明的人，他是一個平凡的人。他是一個孤兒，小時候父母就死亡了，所以他才能到印度去取經，那是因爲他無牽無掛。假設他的家世很好，財產很多，父母很疼愛，可能就會放不下，無法到西方取經了。

另外一個了不起的人叫作六祖慧能，他也是一個孤兒，從小爸爸就過世，跟媽媽相依爲命，每天去砍柴做樵夫。六祖慧能一生裡面從來沒有讀過一天的書，所以他不認識字，最後卻變成中國禪宗史上最偉大的祖師，因爲他把印度的禪宗徹底中國化，這是一個平凡人做出來的。

還有寫《茶經》的陸羽，這是全世界最早出現的茶的經典。陸羽也是一個平凡人，他是個棄兒，甚至不知道爸爸媽媽是誰，生下來就被丟在河邊，被竟陵禪師養大。由於他喜歡喝茶，就開始旅行全中國去寫《茶經》，連陸羽這兩個字都是他自己取的，因爲他覺得自己像一片陸地上漂流的羽毛。你看這個平凡的人創出這麼偉大的事業，所以平凡的人不要洩氣，做一個平凡的人其實是很幸福的事情。

平凡人的幸福

舉唐朝的例子太遙遠，而且這些大師太偉大了，其實，平凡人只要能活出自我生命的意義，就非常了不起了。

舉一個例子，NBA職業籃球賽非常好看，其中我最喜歡看的一隊是夏洛特黃蜂隊，因爲黃蜂隊有一個後衛叫作柏格士。他的身高只有一百六十公分，是NBA歷史上從來沒有過的矮子。每次看他出來打球，心裡就好安慰，因爲我的身高是一六八公分，柏格士比我還要矮，可是他怎麼打得那麼好？他已經打了六年的NBA，每一年都被選爲最佳後衛。

有一次電視記者訪問柏格士，問他怎樣打進NBA，他說：「我小時候長得很矮，常常跟附近長得比我高大的人一起打球，那時他們會問我長大以後要做什麼，我如果告訴他們說我長大要打NBA，當場球賽就中止了，因爲很多人笑倒在地上，沒有辦法繼續打球。」那些倒在地上的人都是身高兩百公分的。

現在柏格士在NBA打球薪水很高，是美國的籃球明星，那些從前笑倒在地上的人，現在常常告訴別人：「我們以前是跟柏格士一起打球的。」你看，這個平凡人多可愛，他做一個平凡人，但比一般的人往上發展、往上解脫，這個時候我們就會知道平凡也是非常幸福的。

說柏格士好像也太遠了，說近一點的，趙傳大家都認識，是有名的歌星。他怎麼可以當歌星呢？他的成名曲叫作〈我很醜可是我很溫柔〉，每次聽到這首歌我的心裡都覺得好安慰，因爲唱出我們這種人的心聲。

趙傳曾提過他讀國中的時候，有一天吃晚餐，爸爸一口飯還含在口裡，突然問他：「你長大要幹什麼？」趙傳說：「我長大要做一個有名的歌星。」他爸爸那口飯立刻噴出來。這麼醜也要跟人家當歌星，那是不可能的事，就覺得很好笑，一開始是忍住笑，忍不住了就開始大笑，然後狂笑，最後笑倒在地上。這是一個平凡的人，因爲他的志願所以實現了一個當歌星的夢想。

這個世界是由平凡的人所建造出來的，平凡並不可恥啊！平凡是很値得高興、値得歡喜的事情。美國歷史上最偉大的總統是誰？林肯總統。爲什麼他偉大？因爲他是第一個提出黑人和白人是平等的總統。主張黑人和白人平等，這在歷史上是一個非常重要的關鍵，這種見解與釋迦牟尼佛是一模一樣的，所有的衆生是平等的，所以他受到很多人的愛戴，最後選上了總統。

但是林肯的出身非常的差，他爸爸是個鞋匠，當他選上總統以後，參議院的議員都很不開心，因爲「這是一個鞋匠的兒子，竟然來做總統，我們都是家世非常好，我們的爸爸都是連振東，祖父都是連橫，爲什麼我們不能做總統？」大家很不開心就開會討論，有一位參議員說：「既然我們選舉選不過他，那麼等他來就職演說的時候，我們來嘲笑他吧！」

林肯總統就職演說那天，他站上講台，還沒有開始講，就有一個參議員舉手站起來說：「總統先生！在你還沒有就職演說之前，我希望你記住，你只是一個鞋匠的兒子。」講完以後他就坐下來，所有的人哄堂大笑，覺得「太可笑了，這只是一個鞋匠的兒子！」他們想要透過這種嘲笑來藐視他，結果林肯怎麼說呢？

林肯說：「謝謝你提醒我，即使你不提醒我，我也會永遠記住我是一個鞋匠的兒子。我的爸爸在活著的時候，是第一流的鞋匠，我希望我做總統也學習他做鞋子的精神，變成第一流的總統。我從小跟隨我爸爸做鞋子，做鞋子是很高貴的行業，所以我到現在還會做鞋子。剛剛站起來問問題的那位參議員，我知道你們家的鞋子都是我爸爸做的，如果有不合脚的，現在拿來，我明天可以幫你修理，因爲我從小也向我爸爸學會了做鞋子的技術。」

林肯講完了以後大家都非常感動，全部站起來鼓掌向他致敬，包括羞辱他的那位參議員。林肯後來變成一位了不起的總統，那是因爲在他的一生裡面，從來沒有忘記過自己是一個鞋匠的兒子。所以做平凡人是很值得高興、值得欣慰的事情。

生命平淡的見解

平常心的第三個要義，就是平淡心，對這個世界要有平淡的態度。

這個世界並沒有固定的狀態或結局可以追求，有很多人都要到老的時候，才對這個世界有平淡的態度，或是躺在病床上才知道什麼都帶不走的時候，才有平淡的態度。我們不要變成那樣，我們希望在年輕的時候，就訓練自己對這個世界有平淡的態度。

對這個世界有平淡的態度，要有兩個非常好的訓練，第一個是在順境的時候，要保持感恩的心，所以我每天早上起來，都會唱：「感恩的心，感謝有你。」摸摸自己的眼睛還在，鼻子還在，嘴巴還在，頭髮雖然少一點，腦袋還在，好開心哦！應該起來貢獻給這個社會，爲這個社會做一點事情。一個人還可以活著，而且非常健康、非常順利，那是值得感恩跟開心的事情，這個時候我們就會有平淡的態度。

第二個就是在逆境的時候，要保持逆向思考的習慣，反過來用一個新的角度來思考我們的逆境。走路的時候不小心踢到石頭，一般人的思考是怎麼樣？「哎唷！怎麼這麼倒楣，這個世界我最倒楣，這麼多人在走路，只有我踢到石頭。」這是正常人的思考。

那麼逆向思考呢？「哎唷！怎麼這麼讚啊！這個世間這麼多人，只有我踢到石頭而已，有很多人出生到現在都沒辦法走路，我還可以走路，還可以踢到石頭，還可以痛，還可以爬得起來，這粒石頭裡面一定有很深刻的意義，不然把它撿回來拜拜好了。」這叫作逆向思考，也就是從新的角度來思考。

有一天有個太太跑來找我，告訴我一個她從逆向思考得到的很好的啓示。她說她嫁到一個世界上最爛的先生，脾氣非常的壞，每天大小聲的罵，照三餐都要跟她吵架，她非常痛苦，而這種痛苦的生活已經過了二十年了。

有一天她的姑婆生病住在醫院，她去醫院看姑婆，走進加護病房發現所有的病人全都躺在那裡不能動，帶著氧氣罩，身上插滿了管子。她站在病房的中間突然浮現起先生大吼大叫的影像，就覺得很開心，心想：「我先生身體很不錯，每天都有辦法大吼大叫。以前都沒有想到我先生身體很棒，有一天他可能也會像這些人躺在這裡，現在還可以大吼大叫眞是值得高興的事情。我以前怎麼都沒有想到？今天晚上回去我要用很欣賞的眼光來看他，看他大吼大叫的樣子。」

於是她就回家了，煮晚飯給先生吃，先生可能吃到菜太鹹，非常不開心地大吼大叫，這個太太就手撐著下巴面帶微笑看著他，先生被看得發毛：「怎麼這麼奇怪？以前我罵她，她都跳起來跟我拚生死，今天還會在那裡笑，好恐怖哦！」跑過去問問看：「今天怎麼都不會生氣？」

太太就跟他說：「因為姑婆得了癌症，我今天去看她，看到病房裡所有的人都帶氧氣罩，用管子插在鼻子裡，我想到有一天你也會像他們那樣子，趁你現在還沒有變成這樣，好好的欣賞你一下。」哇！先生聽了就覺得很不好意思，就跟太太道歉：「對不起！以前實在對妳太粗暴了，請妳原諒我。」兩個人相擁痛哭，互相懺悔，從此，他們就過著幸福快樂的日子。

前年諾貝爾文學獎的得主是日本的作家大江健三郎，他年輕的時候就文名非常盛。可是他三十歲生的第一個小孩，生下來就沒有頭蓋骨，醫生跟他說：「你這個小孩養不活了，如果養得活也會變成智障。」大江健三郎聽了非常痛苦。這個小孩子是在廣島的原子彈紀念醫院誕生的，當天晚上他就非常痛苦的走出醫院，茫無目的的在街上走，不知不覺走到一個廣場，那是紀念原子彈爆炸的廣場。

他看到很多人在那裡紀念死去的親人，就跟他們一起吟唱悲傷的詩。吟唱完了以後，這些人到河邊去放河燈，就是把死去的親人名字寫在上面，祝福他們往生到好的地方。大江健三郎心裡非常的難過，就把自己兒子的名字「大江光」寫在燈上，並合掌祈求：「希望這個燈放走了以後，我的兒子就死在醫院，然後我就解脫了。」

等到河燈放完了，大江健三郎滿懷希望，希望回到醫院兒子就死了。結果走回醫院，醫生說他的兒子還好好的，他就非常傷心，怎麼沒死呢？他坐在醫院發呆，非常的痛苦。

這時候，原子彈爆炸紀念醫院的院長安慰他說：「大江先生，你不要難過，我告訴你一件事情。我們這個醫院是爲了紀念原子彈爆炸而建成的，醫院落成的時候，收容了所有廣島地區因爲輻射而受害的民衆。當時我們登報徵求全日本最有愛心的人來當醫生，不久很多有愛心的醫生從日本各地到這個醫院來照顧這些病人。他們原來都有滿懷的愛心跟希望，但來到這裡以後，發現這些病人無藥可救，求生不能求死不得，於是心情就非常的沈重，感受到很大的壓力。經過一年以後，自殺的醫生比病人還要多。」

照理說是病人很痛苦，應該病人自殺的多，爲什麼反而醫生自殺的比病人還要多呢？院長就告訴大江健三郎說：「大江先生，嚴肅是一種很嚴重的病，比原子彈輻射更嚴重。」

大江健三郎當時得到一個非常好的啓示，就帶他的兒子從廣島到東京，找醫生爲他開刀，開了十幾次刀，裝了新的頭蓋骨，然後把他養大。後來大江光變成一位非常了不起的音樂家，是一個雖然重度智障，但是對音樂有特別天賦的人。他出的唱片比他爸爸的書賣得還好。

大江健三郎得到諾貝爾文學獎到瑞典去演說的時候，有一段話令我非常感動，他說：「有的人說我兒子的音樂非常好，銷路比我的書更好，是因爲他的音樂有安眠的作用，睡不著的人聽了就很容易睡著。如果你們聽了我兒子的音樂還睡不著的人，你們就來讀我的書吧！讀了我的書一定會睡著。」大江健三郎講得非常好，「嚴肅是一種很嚴重的病」，所以要有平淡的心來面對這個世界。

日本有一個非常了不起的演說家，名叫尾關宗園，他曾經講過：「最好的演說就是先在講台上跌一跤。先跌一跤聽衆就放鬆了，然後講的人就放鬆了，因爲這個世界上再也沒有比演講摔跤更糟糕的事情了，所以講什麼都可以了。」所以我們對人生不要太嚴肅，要用平淡的心來看待。

心安才能對治敏感

第四個要有平安的心來看待生命。平安的心就是我一開始講的，不要向外奔馳、不要散亂的心，安住的心。當代高僧廣欽老和尚在他的生平裡，非常重要的一個開示就是：「一個人要先求心安才可以談修行。如果你的心不安，那麼你的修行全部都是假的，你可以念佛多少聲、坐禪多少分鐘、拜佛多少拜都是假的，所以心安最重要。」

廣欽老和尚的修行非常了不起，他三十幾歲就開始不倒單，因爲那時他在寺廟當行堂，負責打板叫師兄弟起床，有一天因爲天氣太冷，睡過頭了，沒有人起來做早課，他就非常懺悔，跪在佛堂前跟那些師兄弟懺悔，然後發誓從此不再睡在床上。所以他一生後來都沒有躺在床上睡覺，這叫作不倒單。很多人都希望達到那樣的境界，就有弟子問：「師父，我們也想學不倒單，要怎麼做？」他說：「不倒單不簡單，你們只要好好的安心念佛就好。」

還有一位師父宣化上人，有一次來台灣演講，他也是不倒單，有一個弟子問他說：「師父，我們要學不倒單，你可不可以教我們一個方法？」他說：「你們只要不搗蛋就好，不要學什麼不倒單。」不搗蛋就是心非常的安住。

只要心安住了，挑水、搬柴無非是道，喝茶、吃飯就是非常好的道。所以道不需要去外面尋找，從你站的地方、坐的地方來修行，你就可以體會到道的樂趣。

我們來講一個故事，看看心安的重要。從前有一個樵夫到山上去砍柴，碰到一個人自稱是妖怪，他的名字叫作「敏感」。這個敏感的妖怪就跟樵夫說：「我是一個妖怪，我可以預先知道別人心裡講的話，我現在正要去人間搗亂。」這個樵夫一聽覺得很可怕，因為可以預先知道人的心又講出來是非常可怕的。譬如說夫妻相處，我們心裡想什麼太太都不知道，這還有一點點空間，如果我們心裡想什麼太太都知道，那一定世界大亂。或者是朋友之間心裡想什麼互相不知道，那還好，如果大家都知道，那就很危險。

樵夫心想：「這個敏感如果下山就糟糕了，我一定要把他抓住。」正這樣想的時候，這個「敏感」就說：「你現在要來抓我了對不對？」這個樵夫嚇一跳：「太厲害了，乾脆把他殺掉算了。」於是他就拿著斧頭要去殺「敏感」，但是這個敏感的妖怪就說：「你現在惱羞成怒要來殺我了對不對？你殺不到我的，因爲你要砍下來的方向我都預先知道。」這個樵夫不管怎麼砍都砍不中他，心裡就非常的懊惱，敏感就在那裡跳來跳去非常的開心。樵夫心裡想：「乾脆不要理他，好好做我的本業吧！」

樵夫的本業就是砍柴，於是他拿著斧頭去砍柴，正在砍柴的時候，妖怪「敏感」就坐在旁邊嘲笑他：「你現在因爲殺不了我，所以假裝砍柴了對不對？」樵夫也不理他，一直用心的砍柴，砍到斧頭鬆了自己都不知道。結果用力一砍，斧頭的刃突然飛走，打中在旁邊嘲笑他的「敏感」的頭，把他殺死了。

這個故事告訴我們，唯有心安、無心才能對治心裡的敏感。我們活著會很痛苦、會焦慮、會不安、會煩惱、會悲哀，就是因爲我們的心裡非常敏感。常常預先想要知道別人的想法，想要知道自己的念頭，想要知道自己的未來，這些都是敏感。對付敏感唯一的方法就是無心，要以無心來對治敏感。也只有進入無心的境界，一個人才能眞正的心安。

平常心是智慧之王

所以，活在這個複雜的時代、混亂的社會，能看到衆生是平等的、法是平等的，能以做平凡人爲幸福，能保有平淡的心、不追逐與散亂，能了知安住自己的身心，就是最好的修行。一旦進入平等、平凡、平淡、平安的境界，就進入禪師所說的平常心了。但是要進入這種境界並不簡單，必須經過心靈的奮鬥與改革。有了「平等、平凡、平淡、平安」的四平，要進入聖嚴師父正在提倡的「安心、安身、安家、安業」的四安境界，就像反掌折枝那麼容易了。

密宗的大祖師岡波巴曾有專論來闡述這種「平常心」的重要：

「平常心，是一切法的根本。」

「面見本尊佛，也不及認識平常心之重要。見到本尊只是賢善之世俗諦，爲障礙清淨之相而已；但認識平常心則屬於勝義諦，功德遠爲廣大。」

「平常心是一切功德之王，智慧之王。」

「諸大神通亦不如平常心之尊貴。一切三昧中，此爲三昧之王，不論你得到了什麼三昧，如果能證悟到平常心，其他一切三昧就會像果皮或樹皮一樣剝落淨盡了。此即一切法之心要，輪迴與涅槃之根元。」

可見平常心的修行是不分宗派的。

天皇道悟禪師說：

任性逍遙，
隨緣放曠；
但盡凡心，
別無勝解。

任運自性逍遙的過日子，隨著因緣放懷自在，只要具足平凡單純的心，沒有比這更殊勝的境界了！

開悟與念佛

開悟與念佛

廣欽老和尚一百晉四的誕辰時，「金色蓮花」的朋友請我做一個演講。我把廣老一生的修行用「開悟」和「念佛」兩個觀點來說明，希望能破除「禪宗」與「淨土宗」的分別見解，對我們的修行應該會有些幫助。

珍惜親近善知識的因緣

講到廣欽老和尚，我內心常常感到非常的遺憾。在我學佛十幾年的過程裡，親近過大部分大家認為修行比較好的、了不起的師父，可是卻沒有因緣親近廣欽老和尚，這有幾個原因。第一個原因是，當我剛開始學佛時，廣欽老和尚已經九十歲了，那時是民國七十年。有一段時間，我自己住在山上念經、讀經、用功，很少跟外界接觸，所以雖然知道廣欽老和尚是修行很好的人，但是並沒有刻意去拜見他。

第二個原因是，看他的樣子好像是會活到一百多歲，所以也不著急，等到一百歲再去見他好了。後來好幾次正好我到南部去，就到妙通寺希望能見到廣欽老和尚，可是我去妙通寺的時候，他都回到承天寺。然後在台北我去承天寺，他又跑去妙通寺，好像跟我玩捉迷藏一樣。我心想他大概會活到一百歲吧，所以也不著急。

民國七十五年的過年，我回到旗山的老家，卻聽說廣欽老和尚圓寂了，我心頭一震，想到這一輩子再也不可能見到廣欽老和尚，心裡非常的悲傷。所以，當時如果沒有他會活到一百歲這樣的想法，可能早就見到他了，可能對我的修行會有很大的幫助。

但是他死得早對我也有一個很好的啓示，讓我常常覺得大概有很多師父很快就要死了，所以應該趕快找機會去見這些師父。廣欽老和尚圓寂以後，我就把大家認爲比較好的師父依照年紀大小列成一個表。年紀老的當然要趕快去親近，譬如在新店有一位戒德老和尚，九十幾歲，他是台灣做梁皇寶懺做得最好的，我就跑去親近他。像大家比較熟知的印順導師，年紀也很大了，我就感覺到他們好像隨時都可能圓寂，或者往生離開這個世界，這因緣是非常難遇的，所以就去拜見他。

往後越來越感覺到無常是很容易發生，而且很容易顯現的，所以連七十幾歲的師父也跑去拜見了，像懺雲法師是大家比較熟悉的，妙蓮長老、白雲禪師，這些都是年紀比較大的。後來對無常有更深的認識了，發現連六十歲的都要趕快去親近，所以就去拜見了星雲大師等。然後又發現身體不好的師父也要趕快去拜見，就跑去花蓮見了證嚴法師。就因爲這個因緣使我認識了很多比較年輕的師父。

所以廣欽老和尚的死，對我其實有非常大的啓示。大家如果有心要親近善知識，最好是趕快，因爲不知道什麼時候有一個了不起的師父或修行人就會離開我們。要有這樣的心理準備，常常希望可以去問法，從他們那裡得到一些修行的經驗，獲得一些修行的啓示。

我雖然跟廣欽老和尚沒有因緣相見，但是我心裡非常的崇仰他，而且我跟他也有一些特別的因緣。他過世的時候，在高雄縣六龜鄉荼毘，我的老家就在六龜鄉，我有一個朋友是民生報的記者，他去參加最後一場荼毘的大典。荼毘完了以後留下很多的舍利，廣欽老和尚的弟子去撿他的舍利子、舍利花，還有骨頭。大的都撿完了，剩下一些小的，我這個記者朋友就衝進火場，把廣欽老和尚的骨頭包成一包給我，所以我家有一些廣欽老和尚的遺骨。這些骨頭上面都有一些非常小的、黑色的舍利子，非常的晶瑩，我把它供在我的佛堂裡面，也把廣欽老和尚的像供在那裡。

我心裡常常在想，當我們喜歡一個修行人，或崇仰一個修行人的時候，其實並不一定要眞正的跟他見面。只要崇仰他的精神，學習他的精神，然後從他的教法中得到一些啓示，那麼這些修行人就好像在我們的身邊一樣。

對於廣欽老和尚的修行方式，我每次讀的時候都感覺到非常的契機。

「不倒單」和「般舟三昧」

廣欽老和尚的法脈是禪宗，因爲他是在泉州的承天禪寺出家的，在台灣他親手開創的寺院也叫作承天禪寺，我想，只有一個禪師開創的寺廟才會叫作禪寺。也可以說他修行的道路很接近禪宗，他在青少年的時代常常在山間林下石洞裡坐禪，而且一入定就是很久的時間，往往幾個禮拜甚至幾個月。

在三十五歲的時候，廣欽老和尚在承天禪寺做香燈，香燈就是寺廟中管理燒香、添油、香花、水果、上供、清理佛殿、敲鐘、打板等等工作的人。有一天他睡過頭了，冬天很冷的時候常常會睡過頭，像我每天早上起來就會想到，寺廟裡的師父不知道怎麼過的，他們都這麼早在這麼冷的天氣裡面起來做功課。那天廣欽老和尚晚了五分鐘起來打鐘，結果全寺的和尚全部跟著他一起多睡了五分鐘。他醒來以後大吃一驚，趕快去敲鐘，寺廟裡的師父才起來做早課。

廣欽老和尚非常的懺悔，覺得這所有的罪過都是他的。在佛教裡面常常說：「寧動千江水，不動道人心。」你不可以讓這些修道人誤了修行的時間，於是他就跪在大雄寶殿前面向這幾百個同修謝罪，向他們一個一個頂禮謝罪，並且發誓從此不上床睡覺。所以廣欽老和尚從三十五歲開始夜不倒單，就是晚上不睡覺，坐在椅子上，不倒下來。整整六十年，他都沒有躺下來睡覺，眞的非常了不起。

有很多人在剛開始修行的時候，很嚮往這樣的境界，希望也來不倒單。有一次廣欽老和尚跟他的弟子說：「你們不一定要不倒單，因爲不倒單很不簡單。」一個修行人要有非常大的願力，然後要有非常好的修行才可能做得到。像廣老六十年不倒單，這是禪宗修行的方法，在淨土宗裡面沒有叫人不倒單的。

淨土宗有一種修行方法很接近不倒單，叫作「般舟三昧」。在台灣我知道有兩位師父曾經修過般舟三昧，一位是靈巖山寺的妙蓮老和尚，一位是十方叢林的從智法師，後來改名叫首愚法師。

我曾經問過他們修般舟三昧的情形，要連續七七四十九天不坐下來也不躺下來，七七四十九天全部都在念佛、拜佛，都是站著。所以各位去參見妙蓮老和尚，會發現他的腿非常的粗大，那就是以前練般舟三昧的結果，他曾經修過二十幾次的般舟三昧。

從智法師跟我說過，修般舟三昧非常的不容易。要在修行閉關的地方吊一條繩子，繩子從這個牆穿到了那個牆，然後每天拜佛、念佛，累的時候就掛在繩子上休息，休息一下再繼續念，後來連掛在繩子上都會睡著了。所以這是非常困難的，必須要有非常大的願力才能做到。

從禪定轉向念佛

廣欽老和尚的年譜上提到他的修行，像不倒單、找一個石洞去打坐、修苦行等，這些都是禪宗的修行法。可是廣欽老和尚到了晚年卻完全提倡淨土，幾乎絕口不提禪宗，這是一個非常值得思考的問題。像廣欽老和尚禪定這麼高深的人，怎麼會突然轉向念佛的法門？其實這並不奇怪。在中國宋朝，從大慧宗杲禪師以後禪淨合流，一般的寺院大部分都是禪淨雙修的。

廣欽老和尚從禪宗轉向念佛，根據他年譜的記載，應該是在四十二歲的那一年，也就是一九三三年。他從泉州承天寺到福州的鼓山寺去打佛七，打佛七期間有一天他突然境界現前，他自己後來回憶說：

「有一次我隨大眾在大殿行香念佛，大家隨著木魚聲念南無阿彌陀佛、南無阿彌陀佛，我手結定印，邊走邊念，突然一頓，南無阿彌陀佛的佛號在大殿地面上盤繞，然後冉冉的迴旋上升起來。當時沒有感到什麼寺廟的建築和人事物，只有源源不斷的念佛聲音，由下至上一直繞轉，盡虛空遍法界盡是阿彌陀佛的聖號。當時自己也不曉得有沒有在行香，也不曉得是在哪裡，光是阿彌陀佛而已。最後維那的引磬一敲，功課圓滿，大衆回到寮房，我還是一樣南無阿彌陀佛下去。二六時中，行住坐臥，上殿過堂全融於南無阿彌陀佛的佛號聲中：鳥語花香，風吹草動，都在念佛聲中，長達三個月之久。」

整整三個月，一聲佛號從來沒有斷掉過，眞是令人非常的讚歎！在念頭上，在身口意上，在行爲語言跟意念上，一個佛號從三個月前念到三個月後都沒有斷掉。也就是這一次使廣欽老和尚深入念佛的三昧，所以他的後半生都在叫人念佛。

除了他自己深得念佛三昧之故，同時也由於他的慈悲，所以提倡念佛。因爲他發現現代人很難由禪修來得到解脫，有誰可以像廣欽老和尚一樣六十年不倒單呢？有誰可以像他一樣從五十歲以後就只吃水果，從來不進火食，也就是不吃火所燒過的東西？這是非常艱難的。我們可以看看廣欽老和尚禪修時的幾個小故事，來了解禪定修行的艱難。

降伏猛虎，猴子獻果

廣欽老和尚四十三歲時，上清源山的石洞打坐，坐了幾天後，有一天突然聽到老虎吼叫的聲音。這個老虎不是直接衝進來，牠站在洞口，看到洞裡面有人，就先把尾巴伸進來掃一掃，然後大叫一聲，意思是說：「這是我的地方，你爲什麼坐在那裡？」就是叫廣欽老和尚離開的意思。

廣欽老和尚非常瘦小，但是當老虎叫了一聲之後，他不但沒有畏懼，還把老虎叫住說：「你等一下，我是修行人，修行人要找地方修行不簡單，你是畜生，畜生要找地方睡覺比較簡單，你就把這個地方讓給我吧！我成道的時候一定會來度你。」講完以後，老虎大叫一聲，然後就離開了。

這個老虎走了以後，不但沒有到別處去，還把牠的太太跟小孩集合起來，蹲在廣欽老和尚修行山洞的門口，在那裡替他看守門口，每天在那裡遊戲。所以廣欽老和尚在泉州，人家稱他「伏虎和尚」。他在來台灣之前，就非常有名，修行非常好。

廣欽老和尚的身世非常貧賤、悲慘，小時候爸爸媽媽因爲沒有辦法養他，而把他賣給別人。在他的年譜裡講到他養父的名字叫作「李樹」，養母的名字叫作「林菜」。李樹跟林菜，很鄉土、很卑微的名字，從這裡可以知道他的家世是非常不好的。由於他的母親吃素，所以他從小就跟著吃素，一輩子都吃素。

以前在泉州、樟州一帶，很多年輕人爲了要謀生賺錢，都會跑到南洋發展，廣欽老和尚也被送到南洋去砍木柴。有一天，有一部運木柴的纜車要下山，同時有很多人要去坐這一部纜車，廣欽老和尚本來也應該去坐這部車，但是他勸大家不要坐，說這部車會出事。有一些人不相信仍然爬上去坐，結果纜車往下開去的時候，果然纜繩斷掉，車子翻覆了，很多人受了重傷。

大家都覺得很奇怪，這個年輕人怎麼這麼厲害，隨便說也說對？就對他開玩笑：「你既然吃素，又這麼厲害，先知先覺，應該去出家做和尚比較好。」廣老聽了覺得很有道理，就從南洋回來了，然後去泉州承天寺出家，這是他出家的因緣。

我們可以看到廣老的生命過程非常平凡，跟我們一般人一樣，出生在一個平凡的家庭。而在開始進山洞修行的時候，就有這樣的勇氣把老虎叫過來說：「這地方讓我住。」非常不簡單。

第二個關於他修行的故事是，他閉關修行時沒有東西吃，雖然是修行很高的人也需要吃東西，他常走出去外面看到猴子撿水果，他就學猴子撿水果來吃。到後來猴子看他撿水果，就每天撿水果來給他吃，於是他暫時衣食無缺。

到了冬天沒有水果，他就自己出去找吃的。有一天在山上找到幾個樹薯，也就是做太白粉的原料，他把一大塊的樹薯拿回去埋在洞口旁邊，然後繼續打坐，入定醒來肚子餓時，就挖起來切一片吃，再把它埋下去。結果等他再出定，那個樹薯又長出來了，可見他的定是非常久的。要使一個樹薯再長出來，至少也要一個禮拜的時間，而這個樹薯他竟然吃了七、八年的時間。他在這個石洞裡面打坐，整整坐了十三年，他青年時代最好的時間，全部都在石洞裡面打坐。

因爲廣老入定的功夫太深，所以常常被誤以爲已經死掉了。有一次他禪定的時間特別長，樵夫上山砍柴的時候，看到這個老和尚在那裡入定，摸摸看沒有呼吸，也沒有脈搏，也沒有心跳，哇！這下死了。要不然再等一段時間再看，又過了一個禮拜再看，還在那裡，而且沒有呼吸，糟糕了，這下一定是死了。死了應該趕快通知他的廟，樵夫就跑到承天寺去通知轉塵老和尚。

轉塵老和尚是廣欽老和尚的師公，就是師父的師父。轉塵老和尚心想，死了就要拿去埋，或火燒也好，就跟這些樵父說：「你們去準備柴火，我們準備把他火化好了。」但是又覺得不能太莽撞，於是先去請教弘一大師。弘一大師說：「等一下再燒，等我去鑑定看看。」

弘一大師就跟轉塵老和尚，還有一些樵夫走到清源山——廣欽老和尚入定的地方，果然他坐在那裡沒有呼吸，也沒有脈搏，心臟也停止跳動。弘一法師知道這是入定的現象，輕輕地在廣欽老和尚的耳邊三彈指，廣欽老和尚就從定中出來。當他出定的時候，弘一大師讚歎說：「像這樣甚深的禪定，在古來大德也是非常難得稀有。」這一次的入定，長達四個月之久。

念佛最好，會開智慧

從這兩個故事看來，廣欽老和尚確實是一個禪師。但是廣欽老和尚雖然是禪宗的行者，晚年卻勸人念佛，我覺得這是他最慈悲的地方。因爲他知道他自己的修行過程，近代大概沒有人能夠跟得上。現在大家都對禪宗非常有興趣，但是有誰可以像廣欽老和尚這樣子修行呢？還是念佛比較好吧！

這種慈悲的態度，在歷史上也有很多的記載，像在經典中提到文殊師利菩薩、普賢菩薩、觀世音菩薩、大勢至菩薩，都是念佛的。他們修行那麼好，爲什麼還要念佛，而且還要勸人念佛？還有很多修行非常好的祖師，到後期全部勸人念佛，這也是很值得深思的。

像天台宗的祖師智者大師，淨土宗的善導大師，華嚴宗的清涼澄觀祖師，禪宗的永明延壽禪師、蓮池大師等，這些偉大的祖師都經過很刻苦艱難的修行，大家都認爲他們已經證道，在他們修行的那個法門裡證道，可是當他們證道以後都勸人說：「你們要好好的念佛。」

還有近代的虛雲老和尚是禪宗的，諦閑大師是天台宗的，太虛大師是唯識宗的，印光大師是淨土宗的，弘一大師是律宗的，他們全部勸人念佛。這是基於什麼樣的態度呢？爲什麼律宗的不叫我們學律，禪宗的不叫我們學禪，天台的不叫我們學天台，而叫我們念佛呢？

有一次弟子問廣欽老和尚：「要怎麼樣坐禪？」他回答說：「打坐是很危險的，打坐說墮落就墮落，所以念佛最好，會開智慧。」從他的修行過程可以發現到，打坐參禪很容易出問題，因此他五十歲以後全部勸弟子念佛。

廣欽老和尚教導的淨土法門有哪些？他所講的關於念佛的開示有哪些？我把它整理出來，在這裡簡單的報告一下。第一就是「老實念佛」，廣欽老和尚在他一生裡常常勸人要老實念佛。有一次弟子生病了要吃藥，他跟這個弟子說：「身體有病不要完全依賴醫藥，念佛沒事就好，因爲阿彌陀佛是無上醫王。」所以大家不要有事沒事就吃藥，有時候念佛也是非常有效的。

他還告誡弟子不要談人是非，有時間就念佛、拜佛。因爲寺廟裡的師父有時會在一起聊天，只要他看到人家聊天就教他們說：「你們不要談是非，有空就去拜佛、念佛。」他又說凡事要有耐心，念佛也是這樣，慢慢修心、沒有煩惱，到後來就會和阿彌陀佛同在。

還有一個關於念佛與禪定的重要開示：「念佛有定心就是禪。」一個人念佛如果念到有定心了，這個就是禪，所以說有禪有淨土。「念佛隨緣，任何事情都在念佛中隨緣，不要說我要念多少佛、我在念佛或者我在做什麼，應該行住坐臥、一舉一動都在念佛。」透過念佛來定心，其實也可以達到與禪宗修行同樣的經驗。

唯有念佛能出生死

有一個弟子問廣欽老和尚：「師父啊！帶業來的怎麼樣才可開智慧？」我們每個人都說，我的業障好重哦！我帶業來到這個世界，要怎麼樣來開智慧呢？廣欽老和尚的回答是：「多念阿彌陀佛。」很簡單，如果你要消除業障，要開智慧，只要不斷的念南無阿彌陀佛就可以了。

還有一次弟子問：「念哪一個佛菩薩的聖號比較好？」這是很多人碰到的問題。有的人說早觀音晚彌陀，早上念觀世音菩薩，晚上念阿彌陀佛，然後半夜念地藏王菩薩，中午念藥師如來佛，每天都要念不同的佛。廣欽老和尚說：「所有的佛菩薩都一樣，不是念哪一個聖號才好，那是你自己在起分別。」因爲觀世音菩薩、阿彌陀佛、地藏王菩薩、藥師佛他們都是同一國的，念哪一個都一樣。

廣欽老和尚說過：「我們如果要找『出生死』的路，唯有一心念佛來出生死。」這也是非常重要的開示。現在社會上非常流行前世今生、輪迴或者生死學，前一陣子在電視上還流行催眠，讓你進到前生、讓你進到過去，這些都沒有辦法出生死，唯一出生死的路就是要念佛。

廣欽老和尚還說：「我們要深信有一個西方極樂世界，有一個大慈大悲的阿彌陀佛，具足信願行，只要我們隨時念佛，臨命終的時候有正念能夠念佛，阿彌陀佛就會來接引我們。如果還惦念娑婆世界的一針一草，就要再受輪迴。」哇！不能惦念娑婆世界的一針一草，有時候穿漂亮的衣服也會覺得好罪過，喝到這麼好喝的茶也覺得好罪過，只要稍有惦念就要再受輪迴，非常可怕。

然後他說：「爲了保持臨終時的正念，平常就要多吃南無阿彌陀佛的藥，否則死將往何處去？」這些都是非常懇切的開示，使人聽了覺得非常的警醒，非常的重要。

廣欽老和尚還曾說：「行住坐臥當不離佛，像印光大師、弘一大師這麼有修行的人都還要念佛，何況是我們凡夫，應當把念佛當作生命的第一要務。」這個講得很好，應當把念佛當作生命裡最重要的事情來做，像歷代許多偉大的修行者，他們後來都在念佛。

廣老說：「如果能在一天當中平平靜靜的念佛、拜佛、做事，沒有什麼事情，沒有煩惱，平靜的過，那就很好了。不要打妄想要做什麼，因爲沒有過錯就有功。」無過便是功，這一段也講得很好，特別是對我們修行的人來講。

很多修行的人常常覺得生活太平靜了，常常打個電話問哪裡有大悲懺可拜，或是哪裡缺義工可以去做義工，每天忙得不得了。但是廣欽老和尚說：「每天起來如果平平靜靜能夠念佛、拜佛，那就已經很好了，不要打妄想想要去做什麼。」

他說念佛要心不離佛，念得清清楚楚、明明白白，用心想、用耳聽、用口念，必須心注佛號、萬緣放下，要依止音聲才能專心。

廣欽老和尚有一個念佛法門，我覺得非常棒，就是要「同音念佛」，嘴巴、思想意念和行爲，都處在同音上面念佛。譬如念「南無阿彌陀佛」，嘴巴念佛，你的心也在念佛，你的行爲也在念佛，三個是統一的，這個叫作同音念佛。我們一般人念佛，身是身、口是口、意是意，嘴巴念南無阿彌陀佛，心裡卻在想別的事情。

有一次我在大溪附近散步，走過一個三合院的圍牆，突然聽到一個人在念佛，而且聲音非常的巨大，非常的專注。我很好奇，就從圍牆繞了一圈到門口去，站在那裡往屋裡瞧。我們常說學佛要學觀世音，觀世音就是要常常觀察世間的音聲，看看人家在做什麼，隔壁桌在做什麼，前面在做什麼。

我看到有一個老太婆坐在長板凳上面，她拿的念珠是很大顆的那種，念佛非常有力，用盡一切力氣，大概是一百公尺外都聽得到的，南——無——阿——彌——陀——佛——。雖然她的聲音非常有力量，但是她的眼睛飄來飄去，因爲她的孫子在門口玩，她要一邊念佛一邊顧他。

她的孫子穿一件開襠褲，在那裡跑來跑去，突然間蹲了下來，拉一把屎。這個老太婆很氣，她念著「南——無——阿——彌——陀——佛——」，你這個死孩子，叫你不要在這裡放屎又在這裡拉屎！」我站在門口愣住了，到底是罵佛還是罵孫子？這就叫作不同音念佛，意念、嘴巴跟行爲不統一。

廣欽老和尚說這樣的念佛是比較沒有用的。應該念得嘴巴、心、行爲都處在統一的狀態，用嘴巴來念，然後用耳朵聽你自己念的佛。不要管你可以念多少，只要有一句佛號聽得清清楚楚，那就非常好了。

念佛散亂時的對治

有一個弟子問說：「師父啊！念佛如果有散亂心要怎麼辦？」這也是修行的人常常會碰到的情況，佛號念到一半突然跑掉了，念佛要一心是非常不容易的。從前淨土宗祖師留下來的「彌陀十念法」，也叫作「十口氣念佛」，大家可以參考。如果早晨起來沒有時間做功課，就可以用彌陀十念法。

方法是，站在一個清淨的地方，最理想的是有樹木、有花草的地方，這樣不但可以念佛，也可以調整我們的身心。然後站直，最好是面對西方，面對東方也沒關係，因爲阿彌陀佛也在西方也在東方。雙手合十，深呼吸，一口氣吸到底，吸到再也沒有氣可以進來。吐氣的時候，隨著你吐出來的氣念佛，南無阿彌陀佛、南無阿彌陀佛……，念到你的氣盡爲止。這樣連續念十口氣，這就叫作彌陀十念法。

這個方法特別適合那些工作非常忙碌，無法花很長時間做功課的人。我有一段很長的時期用這個方法，覺得非常的好，不僅可以使我們念佛的時候非常專注，一心不亂，而且對我們的氣、對我們的身體都有很好的幫助。

如果你可以一口氣念到底都沒有散亂掉，那就已經非常了不起。但是我們念佛常常都會散亂，有一個弟子因爲念佛散亂就去請教師父，廣欽老和尚說：「唯一的辦法就是繼續念佛。」唯一對治散亂心的方法就是繼續念佛，把全部的精神投到南無阿彌陀佛六字洪名上就對了。

還有一個弟子問老和尚說：「師父啊！如果念佛念到想睡覺的時候怎麼辦？」這也是平

常人都會碰到的情形，念佛念到好想睡，不念的時候都不想睡，一念就想睡。那以後你就不用吃安眠藥了，阿彌陀佛就是你的安眠藥。廣欽老和尚回答說：「想睡就去睡呀！」

有一個弟子問：「念佛眞的可以往生嗎？」因爲我們的業障這麼重，念佛眞的可以消我們的業障，讓我們往生嗎？廣欽老和尚說：「念佛可以帶業往生。」念佛的念力如果大於業力就可以往生。我覺得這一句可以做爲我們念佛人的一個標竿。很多人都很害怕業障很深，從無始以來有很多的貪瞋癡，如何才能消除這些業障？廣欽老和尚講得很簡單，只要你的念力大過你的業力就可以往生。

其實這個道理很容易了解，比如丟石頭到河裡，即使這個石頭非常小，也會直接沈到水裡；可是如果有一根木頭載著它，這個石頭就會浮在河面上。如果有更大的石頭，就用更大的船去載它。如果船夠大，不管你的石頭有多大，你都可以帶著石頭這麼重的業力去往生西方極樂世界。這給了我們很大的信心。

還有一個弟子問廣欽老和尚：「師父啊！攝心非常困難，怎麼樣才能把這個心攝住？」因爲我們的心平常都是很散亂，要怎麼樣把這個心抓住？老和尚說：「要從念佛念到正念相續，妄心來無所從來，去亦無所從去，這就是將心攝住。就是不斷的念佛，正念相續，使你的妄念沒有辦法進到你念佛的正念裡面，這個時候就可以把心攝住。以上是我把廣欽老和尚關於念佛的開示做一個簡單的整理。」

無不在定慧之中

曾經有一位周宣德居士，他將廣欽老和尚的修行歸納成六個重要的提綱。第一是心想憶念阿彌陀佛。廣欽老和尚在一生裡，他的心都常常憶念阿彌陀佛。

第二是開口說話必利於人。他只要開口講話，從來沒有講人的是非，或者對別人有傷害的話。我們去看廣欽老和尚的開示錄，就會發現他所有的話都是對人好的。

他的一生裡曾經多次被弟子欺騙，因爲有很多人去供養他，但是廣欽老和尚對錢財沒有興趣，所以供養的紅包他從來都不拿，就放在旁邊，由他的侍者收去，結果連續有好幾個侍者都把供養的錢拿走還俗了。許多弟子就很不服氣，爲什麼這些人把師父的紅包拿去就還俗逃走了呢？就去跟師父講，師父說：「該他們的就該他們，如果不該他們的他們就會回來。」後來眞的有很多弟子回來懺悔。

還有一次他被一個弟子倒帳，有弟子很好心跑去跟師父講：「師父呀！你被他倒帳爲什麼不去追呀，或者是把錢要回來，或去告他？」結果廣欽老和尚說：「他倒的是我的帳，我都不急你急什麼！」可見他講的話必然對人有利益。

第三，他的舉止行動無不在定慧當中，他一生都處在定慧裡面。

第四，他持戒嚴謹，遠超凡夫。

第五，他視名利爲空無。

第六，度衆咸令解縛。度了很多的衆生，而且都解開了他們心裡面的束縛。這是廣欽老和尚修行的六個重要提綱。

近代也有很多的修行者，可是像廣欽老和尚這樣禪淨雙修都達到非常高的境界的修行者，卻非常難得稀有。他可以說是近代禪淨雙修的典範。

我把他的教化歸納起來，發現有幾個非常重要的關鍵：第一，就是修行者俗念要少，生活要簡單。第二，要無心才能心安。第三，要隨緣在日常生活中去修行。其實這三種見解都是禪宗的見解。

首先來談俗念要少，生活要簡單。我們看古代禪師的傳記，就會發現古代的禪師很容易開悟。有的禪師是在喝水時突然把茶杯打破而開悟，如虛雲老和尚；有的禪師是耕田時把石頭丟出去突然打中竹子開悟的；有的是走在街上，聞到人家燒香的味道而開悟；有的是走路不小心踩到毒刺而開悟的。他們的開悟眞的好簡單，隨時隨地都有師父在開悟。

有一位盤山寶積禪師，有一天在市場經過一個肉攤，聽到一個顧客跟賣豬肉的人在對話。這個顧客跟賣豬肉的人講：「請你割一塊好肉給我。」這個賣肉的人就把刀放下，手插腰問他說：「請你告訴我哪一塊不是好肉？」他們在那裡爭執的時候，盤山寶積禪師在旁邊聽到就開悟了。我們也常常在市場看人家切肉，怎麼沒有開悟呢？值得想一想。

無心才能心安

《楞嚴經》中記載二十五個菩薩的圓通法門，有各種開悟的方法，像觀世音菩薩是因爲觀音法門而開悟的。另外還有一個更有趣的記載，有十六開士在森林裡打坐修行了很長的時間，一直沒有辦法達到開悟。有一天他們到森林的池塘裡去洗澡，當跳下水的那一刹那，觸摸到水的溫度，十六個人同時開悟。我自從讀這一部經典以後，洗澡的時候都很注意水的溫度，但是到現在還沒有開悟。

爲什麼他們都那麼容易開悟？原因非常簡單，因爲他們具備兩個非常重要的特質，一個是簡單，一個是開放。

簡單的心就是生活非常的樸素，俗念非常的少，所以很容易開悟。我們常常看到「禪」這個字，左邊是表示的「示」，右邊是單純的「單」，合起來「禪」這個字就是單純的表示。單純的心叫作禪，所以一個人如果有單純的心，他就有禪，不管他是什麼樣的身分地位或在做什麼。

現代人要有簡單的心非常困難，因爲現代的生活太複雜了。每天早上打開門出去拿報紙，就會覺得生命非常的複雜，像我家訂三份報紙，每一份報紙有五十個版，三份加起來就一百五十版。如果要把報紙從第一頁到最後一頁都看完，那要從早上看到半夜，一天就完了。這些報紙這麼厚，對生命眞的有利益嗎？大概都沒有什麼利益，只是增加我們的混亂罷了。

我們的複雜已經變成生活裡面的習慣，例如翻開電話簿，如果你記了一百個電話，就表示你有一百個割捨不掉的因緣。光是對一針一草的惦念，都會使我們輪迴，何況是電話簿裡面的一百個電話。

現在的超級市場有滿坑滿谷的東西，這些東西在我們小時候是都沒有的，比如說飲料，現在飲料怎麼這麼多，泡麵也幾百種，這太複雜了。像洗澡、洗脚、洗頭，也都各有不同的東西，這在我們小的時候哪裡想得到。小時候我們洗澡都是用一塊做茶油剩下來的餅，從頭洗到脚。我常常跟我媽媽抱怨說，我的頭髮怎麼這麼少，若有很多的潤絲精，大概就不會掉頭髮了。

以前是一個茶餅從頭沖到脚，現在光是洗頭的就有多少種？洗澡的又有多少種香皀啊、沐浴乳，還有什麼巴斯克林，什麼消毒的，光是洗澡的就排成一排，太複雜了。我們如果像這樣複雜的生活，就很難開悟。古代的禪師容易開悟，那是因爲他們生活簡單。

第二，他們有一個開放的態度，開放的心，也就是對修行並沒有預設的立場。很多人修行希望自己有神通，可以元神出竅，幾個月之內可以證到什麼樣的狀況。最好是十五分鐘就打通任督二脈，或者是去買一個玉佩掛著，從明天開始就過著幸福快樂的日子。這是報紙常常有的全版廣告。

有一天一個朋友打電話告訴我：「林清玄啊！我要去給人家打通任督二脈，你看好不好？」我說：「有這種人嗎？」他說：「有啊！有一個人登報紙廣告說可以在十五分鐘內幫人家打通任督二脈。」我說：「要不要錢？」他說：「要啊！打一次要三萬塊，而且打通了以後，如果不修還會再合起來。」他又說：「如果打通了奇經八脈就要二十萬，要打半個小時。」我說：「你不要去打，我來幫你弄一弄，不要錢的，也比較好。」

如果一個人可以在十五分鐘以內幫人家打通任督二脈，在半個小時內幫人家打通奇經八脈，他還需要登廣告嗎？不需要，會來找他的人光是排隊就排很長了，像以前要去見廣欽老和尚的人排隊排多長。所以對修行不要有預設的立場，對修行沒有預設的立場，就是廣欽老和尚講的「無心才能心安」。

我們要常常保持一種開放的心情來看待這個世界。這個世界越來越封閉，越來越狹窄，那是因爲每一個人都跟別人有距離，希望把自己關閉起來。每一個人在自己的生命裡面都有預設的立場，小的時候就預想將來長大要做什麼，青年時代就預計什麼時候要賺到第一個一百萬，然後要做什麼，有很多的立場。我們不要有這些立場，修行的人要以無心爲最尊貴。

第三是隨緣在日常生活裡面修行。一個人如果生活裡面有定，那麼他在蒲團上就會有定；如果一個人在蒲團上散亂，那麼在生活裡面就會散亂。我們看到很多修行成就的人，比如說打鐵，打到後來往生西方極樂世界；比如說殺豬的，放下屠刀立地成佛，一心不亂，往生佛的國土。因爲他們對生命有一個非常單純的信心，然後把自己完全融入這樣的信心裡面。

這種信心不只是在蒲團上、在佛堂裡或在大殿中，在生活的每一個角落、每一個地方都可以處在這樣的定，所以一個修行的人不要看不起那些沒有在修行的人。有些人一碰面就會說我一天念佛十萬遍，你念幾遍，他自己就覺得很了不起。或者修行很久的人互相見面時說，我打禪七打了二十一次，你打幾次，互相來比較。這種比較是因為不知道修行就在生活裡面。

廣欽老和尚常常強調要在行住坐臥中不離開修行。定力是可以在任何的狀況裡面訓練的，像運動員都有很好的定力，撐竿跳必須把全部的身心集中在竿子上才能跳起來，這非常不容易。溜冰的選手，特別是花式的溜冰，溜到一定的狀況後，突然跳起來在空中旋轉三圈落下，那也需要很高的定力。我們不要說穿溜冰鞋，光是穿球鞋跳起來在空中轉三圈都做不到。

那種定力的品質跟禪師在蒲團上所訓練的定力的品質是一樣的，所以不要去追求一定要在蒲團上、一定要在佛堂上才有定力。應該打破這種界限，在生活裡每個地方都有定力，並且要使生活的每一件事情都能夠一心，並且有功德。

功德是心的態度

有一次我到寺廟去，看到很多朋友的太太一起蹲在那裡洗碗，我吃了一驚，因爲這些太太都是有錢人的太太，她們在家裡從來不洗碗，怎麼跑到廟裡來洗碗？我就問她們：「怎麼不在家裡洗碗，跑來這裡洗碗？」她們就說：「你不知道，在這裡洗碗比較有功德。」爲什麼在家裡洗碗，準備給自己的先生跟孩子吃飯就沒有功德呢？功德是在哪裡？其實，功德是在心，而不是在你洗的碗上面。如果帶著有功德的心，在任何地方洗碗都有功德。

每年七月，寺廟裡都會辦超度的法會。承天禪寺在廣欽老和尚的時代有一個規矩，就是所有的牌位都一樣大，由信衆自己奉獻。沒有規定說水陸頭要一百萬，然後內堂五十萬，外堂三十萬，如果你交一萬就給你貼在屋頂上，從來沒有這樣的。

有一次廣欽老和尚的徒弟就問說：「師父啊！爲什麼我們不把這些超度的牌位定一個價格，把擺在最重要的位置定高一點呢？這樣我們可以有更多的收入。」廣欽老和尚說：「如果我們定了價格，那些貧窮的衆生要怎麼超度啊？」

有時候到寺廟裡去參加法會，看到每個人拜懺都拜得聲淚俱下，非常的虔誠、非常的專注，令人非常感動。可是，拜到中午可以去吃米粉了，竟然大家都衝進去，米粉用搶的。我每次都餓著肚子回家，因爲不好意思去跟大家搶米粉，怕人家會說這個林清玄也去搶米粉。

生活與修行的界限如果打破，念佛與開悟的界限也就打破了，沒有什麼是念佛，什麼是禪宗。在這個時代裡有很多分別的見解，像密宗、禪宗、淨土宗、天台宗，每個人都修不同的宗派，然後互相排擠、互相毀謗。這是非常不好的現象，我們應該打破種種的分別心。如果一個人可以專心的做到一心不亂，一心不亂就是禪定；一心不亂就可以無掛礙，這個時候就會開智慧；一心不亂就可以一念不起，這個時候就有了戒定。所以一心不亂非常重要，應該把一心不亂的精神帶到生活的每個角落裡。

廣欽老和尙曾經講過，念佛的人要念到見到父母未生前的本來面目，然後看到自己的佛性與阿彌陀佛的佛性不二，常不離佛，這個時候就是開悟了。所以念佛和開悟之間是有一個通路的，不是念佛都無效，不能開悟，只有打坐的才能開悟；而開悟也不是生命的終點，開悟還要繼續往前走，走向佛道，因爲佛道根本就是沒有終結的。

有一個人問趙州禪師說：「有！佛有煩惱。」趙州禪師說：「師父，請問佛還有沒有煩惱？」一佛有什麼煩惱呢？他已經解脫三界，哪有什麼煩惱？趙州禪師說：「因爲佛煩惱要度衆生，所以佛成佛了以後還是要繼續的修行。」所以開悟並沒有終結。

經典上記載，釋迦牟尼佛已經在娑婆世界成佛九千次，九千次不斷的成佛。爲什麼不是成佛以後就沒有了？那是因爲要繼續跟衆生一起走向佛道，所以開悟的人也還是要念佛。念佛的人要開悟，開悟人的要念佛，這個時候就打破開悟跟念佛之間分別的見解，所以念佛的人也不要毀謗禪宗和密宗的法門。

有一個佛弟子叫奢摩男，問釋迦牟尼佛說：「世尊啊！如果一個人念佛修行，他非常的專一，可是還沒有到一心不亂，就突然死掉，那他會不會去往生極樂世界？」釋迦牟尼佛就反問奢摩男：「如果一棵樹一直往東邊生長，生長了幾十年，有一天突然打了一個雷把這棵樹劈斷，這棵樹是往西邊倒還是往東邊倒？」弟子就說：「世尊哪！當然往東邊倒。」釋迦牟尼佛就說：「對呀！如果一個人很努力的修行，想要到佛的國土，那麼突然死掉時，也會往生佛的國土。」

有很多人都告訴我們說：「你這一輩子如果從來都沒有念過阿彌陀佛，你就不能往生極樂世界。」我常常在想阿彌陀佛豈會是心胸那麼小的人？如果一個人做得很好，修行很好，只是都沒有念他，他就不來救你，有這種事嗎？

我曾經問過一個師父，小乘國家像泰國、緬甸、斯里蘭卡等的修行者，修行非常好，持戒也很嚴謹，非常有智慧，可是他們都沒有聽過阿彌陀佛，因爲阿彌陀佛只有大乘佛法才有。小乘的國家也不拜菩薩，所以泰國、越南的寺廟裡，都找不到觀世音菩薩、大勢至菩薩。那他們有沒有辦法往生極樂世界呢？

這個師父回答我說：「可以的。」爲什麼？他說：「會往生極樂世界，那是因爲你累生累劫以來跟極樂世界有因緣的關係，不能只從這一輩子看。這一輩子沒有念佛，但以前有念佛，有這樣的因緣也可能去。阿彌陀佛是非常慈悲的，是無所不在、無所不知、無所不能的，他當然可以知道哪一個人修行非常好。難道你不念他，他就不帶你去他的佛國嗎？」我想，這個世界上沒有這樣的道理。

我覺得現在我們修學佛法的人最嚴重的問題，就是越修行心胸越狹小。還沒有開始學佛的時候還好，生活還蠻快樂的，有一天突然學佛了，就開始很痛苦。因爲開始有分別心，自己畫一個圈子說：「我是佛教徒，你們是外道。」這個世界上有這麼多的外道，生活就變得很狹隘。如果把不信佛法的人都看成是外道，那會跟地球上大部分的人爲敵，你要和他們全部畫清界限，那就非常的可悲。

我每次走過七號公園，看到觀世音菩薩，心裡都會一陣絞痛。這觀世音菩薩前一陣子因爲觀音事件，被很多基督徒潑了黃色或白色的油漆、硫酸，所以有很多地方被腐蝕。我每次站在那裡，對於人因爲宗教而產生的分別感到心痛。

不管別的宗教徒如何看待佛教，我們做一個佛教徒，首先要有一個開放的心胸，打破分別的見解，不要分別師父、門派，甚至宗教。當我們有這種包容心的時候，才可能使佛教發揚光大。

淨土就是大手印

許多千錘百鍊的禪師最後都回歸於淨土，所以在淨土裡面就有最深刻的祕密的消息。我曾經說過：「淨土就是大手印。淨土就是最祕密的，最能夠引發我們的，最能使我們開悟的。」一個人如果念佛念到一心不亂，而且眞正進入了佛的懷抱，他是無所不能的。

有禪有淨土，猶如帶角虎

明朝有一位蓮池大師是淨土宗的祖師，他在年輕的時候修行禪宗，後來轉入淨土，常常勸人要一心不亂、專心念佛。他寫過一篇文章提到他自己念佛的過程，非常感人。

蓮池大師在做小和尚的時候，有一天他的師父集合大眾說：「明天我們大家一起來求懺悔。」蓮池大師剛剛做小和尚，他想求懺悔一定是很大的儀式，心裡就有所準備，第二天可能會很忙。結果第二天師父把大家集合起來說：「我們大家來開始念佛吧！」念佛差不多念了一個小時，師父說：「我們的懺悔已經完畢了。」一站起來就走了。蓮池大師大吃一驚，原來懺悔那麼簡單，這給他很好的啓示。

又有一天師父又集合大家說：「我們有一個師友被關在牢裡，明天大家一起爲他祈福來拯救他吧！」蓮池大師心裡想，祈福大概要做梁皇寶懺、三昧水懺、大悲懺吧。結果第二天師父把大家集合起來說：「我們大家一起來念佛吧！」念了一個小時，師父說：「那個師友已經得到解救了。」然後就解散了。過不久，關在牢裡的那個人眞的被放出來了。哇！蓮池大師從此得到很大的開啓。他認爲「南無阿彌陀佛」這六個字，可以代替一切的懺悔、經典，所以他的後半生也主張全部要歸入淨土。

後來蓮池大師有很大的神通，但是他還是每天念佛。有一天，附近村莊發生乾旱，那裡的居民用了很多種方法，請了很多的道士、很多厲害的人祈雨，但是都沒有用。有一天他們突然想到附近不是住了一個師父嗎？他每天都在念佛，不知有效否？就去請蓮池大師來試試看。蓮池大師說：「我不會祈雨，不然你們跟在我後面，我們來念佛。」他就拿著念珠在田中念佛。根據他的傳記裡面記載，他每念一聲佛，所走過的地方就下雨。

看了蓮池大師的故事，使我非常感動。只要「南無阿彌陀佛」就可以達到這樣了不起的境界，所以我們並不需要去太遠的地方尋找。

永明延壽禪師也是由禪宗轉向淨土宗，他有一首非常有名的詩叫〈四料簡〉，他說：

有禪無淨土，十人九蹉路，
陰境若現前，瞥爾隨他去；
無禪有淨土，萬修萬人去，
但得見彌陀，何愁不開悟；
有禪有淨土，猶如帶角虎，
現世為人師，當來作佛祖；
無禪無淨土，鐵床並銅柱，
萬劫與千生，沒個人依怙。

他說，有禪而不修淨土，十個人中有九個人會走錯路，因為當陰境現前的時候，就會隨著業障而流轉。沒有禪的修行而只有淨土法門，萬修萬人去，只要見到阿彌陀佛，那麼何必煩惱開悟的問題。有禪有淨土，好像長角的老虎，老虎已經很厲害了，還長角那就更厲害，在這個世界上會做人的老師，將來一定會成佛。第四個無禪無淨土，就會在地獄裡面跟鐵床銅柱在一起，萬劫與千生不斷的輪迴，找不到依靠。

我們在紀念廣欽老和尚的時候，不只要紀念他修行的事蹟，也要學習他修行禪宗跟淨土法門的精神，不管是學習禪坐或者是學習念佛，都是非常好的。

廣欽老和尚還有一個非常了不起的地方，就是他非常的平凡跟平常。雖然他修行非常好，但是他一生都非常平凡、平常。在他的傳記裡面有很多神奇的事蹟，例如他常常在林外野地打坐，在他打坐的地方，方圓一丈都沒有露水浸溼，而且從來不被蚊子咬。像我們平常躲在家裡蚊子都會跑來咬，更不要說在野外打坐了。他修行那麼好，可是他一直強調一個人要老實的修行、老實的念佛。在他的開示裡面，常常講到「像我這樣的凡夫」，這令人非常的感動。

不一定坐著才是禪

我在讀廣老的禪修譜和年譜時，有一段話是：「對我來說，禪淨是沒有分別的。如果強調禪那就有了我相，一開口就有我。我現在只行方便，行住坐臥都是禪，不一定坐著才是禪。」這一段講得非常的好。在廣欽老和尙的修行裡面，禪淨是沒有分別的，行住坐臥都是禪。他常常對弟子們說：「打坐要從觀自在學起，要觀察自己內心的自在。」

我們如果要記載在這個時代裡面偉大的修行者，從民初的四大高僧以後，我覺得最值得記載的就是廣欽老和尙的修行。

很遺憾的是，雖然他的修行那麼好，他在世界上住世的時間有九十五年，但他所留下的資料卻這麼的少，這使我們做佛弟子的感到非常的汗顏。

希望從現在開始，大家努力來記載那些偉大修行者的經驗跟開示，希望有一天能把廣欽老和尙的開示跟教法做一個更完整的呈現。也要趕快去見那些還活著的師父，因爲不知道什麼時候會有無常的示現，要及時把他們的教法記載下來，給這個時代或是後來的人留下修行的教法跟典範。

茶禪一味

茶禪一味

台灣有很多人對學禪很有興趣，也有很多人喜歡喝茶。茶，在中國歷史上和禪有非常密切的關係，我常常在思考，到底用什麼樣的角度或觀點可以將茶和禪融在一起，給我們一些新的見解？其實，學習禪道並非離開生活的；在喝茶裡如果有很好的心境，也是跟禪非常接近的。

我們要談的第一個重要觀點就是，生活和禪是無分別的，它們是合在一起的關係。很多人把修行或是學習佛道、禪道當作是一個特別的東西，認爲只有放棄生活或是離開生活，才可能進入禪或是佛的修行。這是一個很大的謬誤。其實，一個人從他現在生活所處的環境，即可進入禪道。

心內求法，不心外求法

有一次，我到台北縣中和的圓通寺，這座廟大概有一百多年的歷史，全部用石頭建築而成。通常一個佛教徒走到佛教的寺廟都會進去禮拜，我也不例外。在我進去禮拜的時候，已經有一個歐巴桑在那裡拜佛了，拜得非常虔誠、專注而忘我。我說她是歐巴桑其實也不老，大概四十幾歲，年紀跟我差不多。我們台灣人都習慣將四十歲以上的婦女叫歐巴桑，男的就叫歐里桑。

我看到那個歐巴桑在那裡頂禮，非常感動，就站在她旁邊跟著她一起拜佛。正拜得忘我的時候，突然聽到兩聲巨響，啪！啪！依照我的經驗，可能是打耳光的聲音，我就停止拜佛，站起來看。果然，這個歐巴桑給了她兒子兩個巴掌，她兒子兩邊臉頰的五爪痕都浮起來了。

歐巴桑氣沖沖地罵道：「你這個死囝仔，你沒看我在拜佛嗎！你要吃冰，等我拜佛拜完再吃會死嗎！」兒子不但沒有感到慚愧，反而還頂嘴：「妳等一下再拜會死嗎！」媽媽更生氣了，兒子說：「妳等一下再拜佛，佛又不會跑掉。但是妳現在如果不去買冰，賣冰的就跑掉了！」我覺得這個小孩講得比媽媽有道理。

媽媽聽了更生氣就要打他，小孩被打得很有經驗，立刻轉頭衝出去了。媽媽也跟著衝出去，跑到廟門口又掉頭回來，因爲她看到一支扁擔，可能怕用手打不到，用扁擔打比較萬無一失，於是抓起扁擔又追了出去。

這時我已無心拜佛，心想這下有好戲看了，不如去看看，等一下再來拜佛。因爲那個小朋友講得很有道理，佛又不會跑掉，先去看有沒有打到再回來拜，於是我也跟著他們衝出去。

圓通寺的階梯非常的陡，小孩子跑得非常快，媽媽也追得很快，我就站在階梯上面看他們激烈的追跑，直到看不到人影了，才又回去拜佛。走到廟門口，聽到「叭布！叭布！」的聲音，原來賣冰的在這裡。由於天氣很熱，我就買了一杯叭布站著吃。

吃著吃著，媽媽回來了，手上拖著一支扁擔，氣喘如牛，滿臉通紅，我就一邊吃冰一邊問她有沒有打中，「這個死囝仔脯，跑得比飛得還快！今天就看在佛祖的面上饒他一命！」媽媽說完便把扁擔放回原位。

走出廟外，我看她在穿鞋綁鞋帶，我嚇了一大跳！這個媽媽十分鐘前為了打兒子，慌張得連鞋子也來不及穿。誰會想到這個坐著綁鞋帶的母親，氣急敗壞的母親，在十分鐘以前是個非常虔誠拜佛的人？這樣一想，心裡非常感慨。

當一個人在學習佛道、禪道，或者在追求心靈更高境界的時候，如果沒有從內心出發，那麼，久了之後，生活就會跟他所追求的東西背離。當與生活背離時，內在的改革就失去了，禪跟佛對我們的人生就沒有什麼幫助了。

自己挖鼻孔的佛

在台灣南部流傳著一個故事，說很久以前在閩南一帶有一位很有名的雕刻師父，應邀到台灣來雕刻佛像，他刻了一尊非常莊嚴、非常逼真、每個人看了都非常感動的佛像。落成的那天，附近鄉鎮的人都跑來拜這尊佛像，正當大家在虔誠的禮拜時，有一個小孩子衣衫襤褸的站在後面挖著鼻孔，一面挖鼻孔一面說：「我跟你們說，這尊佛像刻得不好！」大人們怒斥小孩子不要亂講話。

這個小孩右邊鼻孔挖一挖，又換到左邊鼻孔挖一挖，然後說：「我跟你們說，這尊佛像刻得不好！」大人們責問小孩子佛像到底哪裡刻得不好？小孩子回答：「你們看，佛像的鼻孔那麼小，手指頭卻那麼粗，他自己都不能挖鼻孔了，要怎麼去度眾生？」

這個故事有兩個結尾，第一個結尾是，這個小孩子後來努力向上，研究雕刻，長大以後成了一位雕刻佛像的大師，他雕的每尊佛像手指都可以塞到鼻孔裡去。第二個結尾是，雕刻佛像的師父聽了小孩子的批評之後，覺得很慚愧，就逃回中國大陸，經過幾年的潛心研究，後來終於變成了眞正的雕刻大師。他後期所刻的佛像，每尊的手指都可以塞進鼻孔裡去。

這個故事給了我們很好的啓發，佛是由人做起的。如果我們要在外面追求佛，而不從內心來開發自己的佛，佛是不會被我們發現，是不會存在的。

有一年過年，我跟一些親戚朋友到南部的廟去拜拜，發現南部流行蓋很大的廟，廟前都有一尊很大很高的佛像，高到你抬起頭來看帽子都會掉下來的那種程度。而且佛像的頭上都裝著避雷針，可見，在台灣這個地方，「天公」最大，佛也怕被雷打中。

所以，當我們在追求外在的佛時，也要追求內在的佛。內在的佛如果沒有得到開發，那麼，生活與我們的信仰就會分開，變成「二味」。

母親是最美的胎神

我有一位親戚住在鶯歌，因爲燒陶瓷的關係，所以鶯歌的氣溫要比別的地方高出四、五度，夏天特別炎熱。我這位親戚懷孕時，常熱得晚上都睡不著，每天半夜要起來泡冷水三次才可以入眠。

我問她爲什麼不裝冷氣，她說怕會動到胎神。我便跟她說：「在這麼炎熱的天氣裡，連胎神都很想吹冷氣哦！」她覺得很有道理，便裝了一台冷氣。四個月後，生了一個又白又胖又可愛的寶寶。我去看她，她說我說的話很有道理，自從裝了冷氣之後就過得非常開心。這是生活與信仰合爲「一味」。

有一天，有個人站在我家樓下門口等我，管理員說那個人已經等了兩三個鐘頭。我上前問他等我做什麼，那個人說：「我昨天晚上得到菩薩的指示，拿一幅畫要來賣你。」我問他要賣多少錢，他說要五十萬。我說：「台灣有那麼多人，爲什麼你只賣給我，不賣給別人？」他說：「昨晚我夢見觀世音菩薩跟我說這幅畫一定要賣給你。要賣五十萬。」我說：「我很想跟你買，可惜昨晚觀世音菩薩沒有托夢給我。」那個人聽了非常地失望。

生活跟修行是一回事，而不是兩回事。我們要從這裡來思考，才能進入茶和禪統一和諧的狀態。

爲什麼最嫩的茶最好

我在一次演講中，問有沒有人從小到大沒有喝過一杯茶的？結果有五個人舉手。我很驚訝，他們到底活著做什麼？演講完後我便請他們五位去喝茶，讓他們知道茶是非常好的東西。

喝茶，有一個很有趣的觀點很少被發現，爲什麼最嫩的茶葉是最好的，老的茶葉是不好的？這很值得我們思考。

通常，最好的茶葉叫作一槍二芽，一片茶葉還沒有開，另外兩片茶葉剛剛冒出來，採的時候採三葉。依人生的經驗而言，越老的人應該越有智慧、越有味道、越有品味，爲什麼茶葉反其道而行？是不是因爲最嫩的茶葉還沒有遭遇到人生的考驗、挫折與苦難，所以能保有非常圓滿的味道？而這種味道可以使它發出最美的、最圓滿的、最強烈的滋味？

人生其實也是一樣。例如，小孩子爲什麼能活得比大人更快樂、更接近禪？老子說，一個人要眞正進入道，必須要回歸到如赤子般；耶穌基督也說，要進天國，應該要如小孩子，不要忘了最小的兄弟；釋迦牟尼佛也說，要使人心非常地單純，像孩子一樣。禪這個字，是由「示」與「單」組合而成的，亦即，單純的表示，單純的心，單純的狀態。這種單純的狀態就好像茶葉剛剛長出來的樣子。小孩子剛剛長出來的狀態也是非常圓滿具足的，沒什麼缺少，非常柔軟，但是非常有力量。

華航名古屋的空難事件中，存活的八個人中有三個是小孩子，三個小孩子中有一個在十幾天後就完全恢復正常。更有一次空難的唯一倖存者是一個小孩子。爲什麼空難的倖存者中，小孩的比率會特別高呢？這絕非偶然。

有一次我跟太太去逛百貨公司的玩具部，突然聽到一聲巨響，一個很小的孩子跌倒了！因爲他急著要跑來看玩具，不小心被地上的電線絆倒，跌倒的姿勢很像棒球的滑壘，滑行了約有三公尺長。百貨公司裡的人皆大爲震驚，很多人跑過來圍觀，有一些老人家說，這次一定摔得很嚴重。結果，這個小孩子一下子跳起來，屁股拍一拍又衝出去了，大家愣在一邊，覺得簡直不可思議。我跟我太太說：「我們這種年紀，如果每天都像他這樣摔，大概每天都要進急診室。」

爲什麼小孩子跌倒會沒有事呢？小孩子在學走路時，一天跌上一、二十次是很正常的事，因爲小孩本身就具足了生命力，跟茶葉是一樣的。在彰化，有一個小孩子跌到高度四百公尺的山谷下，躺在那裡七十二小時才被發現，再一小時後他醒過來，完全恢復正常。

佛教常講，初發心是最重要的，初發心就是剛開始發起的心，像小孩般天眞的、無我的、專注的、沒有名利狀態的心。最嫩的茶葉就是最好的茶葉，可以給我們很好的啓示，這是第二個觀點。

第三個觀點是，爲什麼我們要喝茶？如果只是爲了解渴，喝水就夠了。喝茶，是因爲在解渴之外還有一些別的功能。所以，茶，不是爲了解渴而存在於這個世界，茶一定還有其他的目的或功能是值得我們思考的。

過程與結局同等重要

第四個觀點是，喝茶的過程比結局還要重要。我有一位住在竹山的朋友，他是一位畫家，但他的工作是幫人家品茶。茶農自己是不懂得品茶的，因爲他們在種茶的時候都會想到要賣好一點的價錢，心中有價錢的觀念，所以無法品自己的茶。等到他們把茶製好了之後，再帶到我朋友那裡去讓他品茶，他品完之後，就會告訴茶農這茶可以賣多少錢，應該要做哪些改進。

有一次我去找這位朋友，他叫我坐著等會兒，要泡茶請我。等了大半天，茶都沒有端來，我便好奇地跑到外面去找他。只見他蹲在庭前劈柴，我問他：「不是要請我喝茶嗎？怎麼在這裡劈柴？」他答說：「沒有劈柴怎麼生火？沒有生火怎麼燒水？」「這裡沒有瓦斯嗎？」

「沒有哩！」

我蹲在地上看他劈柴、生火、燒水，足足等了一個小時才把茶泡好。可是一喝到茶的時候就覺得非常的好喝，那是因爲等不及了，非常的期待。那個過程至今還深深留在我的腦海中，原來，喝茶的過程跟結局是一樣重要的。

最後一個觀點是，關於價值的思考。很多人喝茶都想找冠軍茶來喝，冠軍茶就是比賽得冠軍的茶，價錢很高。冠軍茶是不是眞的好呢？其實，茶農拿去比賽的冠軍茶只有一斤，但是他家還有一百斤的茶後來也都成了冠軍茶，不過參加比賽的那一斤茶他都是留給自己喝的，不會賣給別人喝。

茶本身並沒有特定的價值，它的價值是由人判定的。人生也是如此，人生本身也沒有所謂高低價值，完全是由於人給了它價值判定，而有了高低之分。

有一次我到屏東恆春的一家茶行，我問老闆有沒有好茶，泡來喝喝看。老闆泡了一壺我認爲非常好的茶，叫作「港口茶」，入口時非常的苦，喝下喉後卻非常甘美。但是當地的人沒有人要喝港口茶，因爲他們認爲種在海邊的港口茶是非常粗賤的茶，而寧願喝鹿谷的凍頂烏龍茶或高山茶。因此港口茶種植的面積便越來越小。

當時，一兩港口茶的價錢是二十元。我覺得港口茶的味道非常美，回台北後就開始寫文章稱讚港口茶，連續寫了三、四篇。三、四年後，我又到恆春那家茶行去喝港口茶，味道還是非常地好，我想買，老闆說：「一兩二百。」我說：「哎唷！怎麼漲那麼多？三、四年前一兩才二十元而已。」

老闆說：「你都不知道，自從有一位作家叫林清玄的，喝了港口茶感覺很好，就一直寫文章稱讚它，現在都不夠賣，價錢還一直在漲！比較好的一兩二百，比較差的一兩一百。」我說：「我就是那個林清玄，可不可以算便宜一點？」老闆說：「啊，原來你就是林清玄呀，那麼一斤算六十就好了！」

那次我的感觸非常深刻。茶的本身是沒有高低價值的，你認為好喝，就是最有價值的茶；你認為不好喝的茶，即使價錢非常的昂貴，對你而言也是沒有價值的。

生命的提升就是禪道

當我們有了以上所說的這些觀點，就可以準備進入「茶禪一味」。

從這些觀點我們可以得到一個非常重要的見解，即生命品質的提升就是在走向禪道，喝茶品質的提升也是在走向禪道。開悟的人，自然就會在這些品質的提升中，不斷地打開自己內在的門窗。

打開心內的門窗，就是透過生活的見解，使我們打破對生命的隔閡與界限，眞正認識到生命或生活的實相。打開門窗與界限以後，生活與禪會是不分別的，是合一的。

台灣的房子大部分都加裝了厚厚的鐵窗，甚至連最偏遠的鄉下也是如此。裝了鐵窗就可以防止小偷了嗎？不是的。刑事警察局竊資組裡有一個顧問，從前是台灣最了不起的小偷之一，專門開鐵窗的，有一回他接受電視的訪問，記者問他：「裝得最厚最好的鐵窗，你多久可以打開？」他說：「三十七秒。」

既然再厚再好的鐵窗都無法防止小偷，那鐵窗代表了什麼呢？代表了我們內心堵塞、關閉的狀態。可見人心內在的關閉已經瀰漫在台灣這個社會，這種內在的關閉，使我們無法開悟，無法提升內心的品質。

有一次，我到台南的學甲去看朋友，這個朋友告訴我：「我們學甲有一間廟很美，裡面有很多佛像、神像，都是古董，你要不要去看看？」我這個人很好奇，便說：「好啊！去看看吧！」

這是很古老的一間寺廟，可是廟前面用一個很大的柵欄圍起來，還用很大的鎖鎖起來。我心想，台灣的廟我從沒見過有人用鎖鎖起來的，怎麼這間廟會這樣呢？一位廟公來幫我們開門，走進去看，裡面所有的神像都嵌貼在壁上用鐵窗圍起來，鐵窗上再用鎖鎖起來，大殿的神桌也用大鐵籠罩住。

我問廟公：「阿伯，為什麼這個廟裡的神都裝鐵窗呢？」阿伯說：「這你就不知道了，現在台灣的人多『酷刑』哪！在三十年前，廟裡神像身上的金牌如果被偷走，就已經很轟動了！現在連黏在壁裡的神像都挖走，連金身都保不住了，更別說是金牌啦！」

我聽了很難過。他又告訴我：「在幾年前，咱們台灣大家樂和六合彩風行的時候，常常在田邊、山邊、河邊撿到神像，這些神像的頭都被折斷，四肢都被拔掉了。」老先生說：「台灣現在的人夭壽又酷刑。」

當時聽了感觸非常深。在二、三十年前的台灣，我們對天、對宇宙、對自然、對祖先，都懷著一種敬畏的感情。我記得年輕時曾經從大甲跟隨大甲媽祖回娘家，大甲媽祖從大甲走到北港要三天三夜的時間，在北港休息一天，再從北港走回大甲，也是要三天三夜的時間，總共要走七天。沿路有幾萬個信徒一起走，每個人都非常地虔誠。

我印象最深刻的是，我第一次跟著進香團從大甲走到北港朝天宮的大門口時，本來人很多、很吵鬧，突然間非常地靜默，我轉頭看看爲什麼這麼安靜，才發覺人都不見了。原來他們都趴到地上去了，只剩我一人站在那兒，我嚇一跳，趕緊也趴下去跟著人家拜。

想想當時那種虔誠的狀態，現在幾乎很難想像。聽說現在連大甲媽祖都不回娘家了，說是因爲跟北港的媽祖不合。現在大甲媽祖都到新港不到北港，想起來就令人非常心痛。其實媽祖何嘗有什麼不合呢？都是人不合造成的。

打開封閉的心靈

我曾經在報紙上看到一則新聞，提到台北縣坪林鄉有一個地方叫闊瀨，那裡有一所闊瀨國小要舉辦最後一屆的畢業典禮，典禮完後就要廢校，因爲學生人數太少了。他們兩年才招生一次，一次只有四、五個學生。我想，這個地方風景一定很美，才會廢校，便很想去看看，順便參加他們的畢業典禮。

那個畢業典禮非常有趣，只有六個畢業生，頒獎的時候，校長拿著一堆獎從第一個開始頒發：校長獎、鄉長獎、家長會長獎……，每一個學生都領很多獎。其中有一個家長很高興，因爲他的兒子以前讀書時都拿第六名，沒想到畢業時還能拿那麼多獎品。他說：「這樣吧，待會畢業典禮完來我家喝茶，今年冠軍的春茶我藏了一斤，在外面賣的都是亞軍的。等一下畢業典禮完來我家喝冠軍茶。」

典禮結束後，我們就跟著老先生回他家，一群人一直走，走了四十分鐘還沒有看見他們家，我們就問：「阿伯，你們家到底在哪裡，還要走多久？」他轉過頭來說：「如果照你們這種脚程，要兩個小時才會到。」我聽了脚都軟了，但要再走回頭也是要很久，不如咬緊牙根跟著走算了。我們繼續一直走到一處山脚下，他停下來說：「我家就在那裡啦！」一看，他的家就在山頂。沒辦法，都已經走到這裡了，只好繼續走。

爬到山頂上大家都氣喘吁吁了，全趴在阿伯家的圍牆上，一邊喘一邊打量他家。不看還好，一看嚇一跳，因爲他家四面八方都裝了鐵窗。我問他：「阿伯，台灣的小偷有那麼勤勞嗎？走兩個小時來這裡偷東西？台灣的小偷都吃好做輕可。」阿伯說：「你不知道，這鐵窗不是防賊的，是用來防大學生的。」

他說：「我們這裡風景很美，常常有大學生來這兒露營，來的時候看沒人在家，油、鹽、糖……統統搬光光；下雨時找不到柴，桌椅都給劈去當柴用；雞呀、鳥呀都給抓光光了；常常東西都被大學生拿去吃。最慘的一次是我回來找不到我家養的一隻黑狗，到處找都找不到，心想會不會被大學生抓去宰了？於是跑到山溝去找了很久，終於找到了一個狗頭，我抱著狗頭傷心了很久，因爲怕小孩看到，趕緊挖個洞埋起來。」他說：「現在的大學生讀書不只讀到背上去了，簡直就是讀到屁股上了。」

我說：「阿伯，你不可以隨便誣賴人家哦！來這兒露營的未必全是大學生，各縣市的縣市長、議員也常來這裡玩，他們比較值得懷疑。」阿伯說：「不是啦！那一看就知道是大學生，一個個眼鏡比厚的，活像酒瓶似的。」講得令大家都感慨很深。

台灣這個社會已經使我們大部分的人都封閉了，這種封閉讓我們心靈的、生命的品質沒有辦法提升。無法提升，就無法走向禪道。

生命的三個層次

我們可以把生命的品質分成三個層次：第一個層次是物質跟欲望的品質。物質跟欲望的品質也能讓我們感受到生命的快樂，譬如口很渴時，喝一杯水就很快樂，或是很餓時吃到一餐美食，吃得很開心，這是物質的層次。但是物質的層次是非常短暫的，好比說昨天吃了一頓五萬的酒席，今天還要不要吃東西呢？當然要啊！因爲已經消化了，無論是五塊或五萬塊的東西，消化後排泄出來的東西都是一樣的。

所以物質或欲望的滿足是非常短暫的，必須不斷的去滿足才能達到短暫的快樂。如果一個人覺得這些都不能滿足他，這個人就會走進生命提升的第二個層次，亦即心靈與精神的層次。

我們聽很好聽的音樂，到文化中心或國父紀念館欣賞藝術表演，或去看電影、讀書，從中得到一些新的啓迪，此時就進入心靈的層次。這種層次是比較長遠的，而且是比較會留在心中的。就像在很年輕時看到的一部非常好看的電影，聽到的很好聽的音樂，讀到的好書，到年紀很大的時候都還會記得。

進入第二個層次以後，又會感受到雖然這些精神、物質會讓我們得到滿足，但是並不能眞正解決人生的問題。人生的問題有哪些不能解決？生、老、病、死、愛別離、怨憎會、求不得、五陰熾盛，這是人生的八大煩惱，也是八大痛苦。這是沒有辦法透過物質、欲望和精神的滿足而得到解決的，這時候人就會走上第三個層次。

第三個層次就是宗教的層次，也就是靈性的層次。這種層次就是承認自己的渺小，知道這個世界有一個廣大無限的空間。現代的人很怕承認自己渺小，都認爲自己很偉大，所以「鐵齒、硬牙」的人越來越多。當人覺得自己很大、很有力量的時候，這個世界就縮小了；如果一個人覺得自己非常渺小、非常謙卑、非常脆弱、非常沒有力量，這個時候就會看到世界變得廣大了。

進入眼前的一刻

有一個禪師，每當有弟子問他：「師父啊！什麼是最好的修行方法？」他就說：「喝茶的時候專心喝茶，吃飯的時候專心吃飯，這就是最好的修行。」爲什麼他們都告訴我們喝茶那樣的狀態就是最好的修行？這是一個很重要的象徵，是一個禪的修行的重要象徵，就是要活在眼前這一刻裡。

一個人如果要眞正的進入禪境，要眞正懂得喝茶，那就要活在眼前的一刻，要看脚下、看眼前。譬如說我在喝茶，如果我不活在眼前這一刻，我喝了這一口茶，我就會想：這泡茶不好，昨晚喝的那泡較好。這時候就會覺得這茶不好，因爲你的想法被拉到昨天了。我們每天都是無意識的這樣喝茶，這種喝茶很難讓我們進入眼前的一刻。

有一個簡單的方法能讓我們進入眼前的一刻。例如眼前有一杯茶，端起來要喝的時候，先生起一個意念：「要好好喝這杯茶，因爲一百年後就喝不到了。」這樣喝起來就覺得非常好喝，因爲你把全副心力集中在眼前這一刻。

爲什麼眼前的這一刻是最重要的？因爲來自兩個非常重要的體驗，第一個是關於因緣的體驗。因緣的變化萬千，常常不能照我們預定的計畫來實現，所以不管明天會怎麼樣，只要今天好好的喝茶就好。

第二個體驗是關於無常的體驗。因爲認識到人的能力非常有限，像我每天在家裡都常常做無常的觀照，要端一杯茶起來喝的時候就看著杯子，想到我死時，這個杯子還在，心裡就有無常之感。看看家裡四周的東西，當我們離開這個世界，我們所擁有的東西都還會留在這個世界，小到一根湯匙，可能沒被摔破，以後就變成古董。這樣一想，無常感就會給我們深深的撞擊，使我們知道活在眼前的這一刻是非常重要的。

有好茶的時候專心喝茶，因爲這就是最好的人生。沒有事情的時候喝茶，就是最好的狀態。禪宗的祖師告訴我們無事最可貴，沒事時，找幾個朋友來喝茶，就是人生最幸福的事。

第二個茶禪的重要精神就是要有更大的包容心。在台灣，很多喝茶的人經過多年的努力學會喝茶，越喝越精，喝到後來變得非常講究，講究到一定要喝那種很昂貴的茶葉，而且要用非常好的茶壺來泡茶，可是這些價位都是他們自己判定的。甚至他們非要找到那幾個可以跟他們喝茶的人才喝。如此，生命便越來越窄。

中國大陸非常出名的茶壺大師顧景州先生，曾經到台灣來參加一個他的作品展覽剪綵，剪綵完了之後，他進去看那些茶壺的時候非常吃驚，因爲他的茶壺在台灣最便宜的一把要賣一百萬。他說他在中國大陸一把賣出才幾千塊，爲什麼在台灣會一把變成一百萬？而且竟然還有人要去買？

眞的要用這麼好的茶壺來泡茶嗎？如果我們想到自己死後這把茶壺還在，就不會用這麼好的了。到外搜尋那些高級的茶葉、茶壺，使我們離開了平常心。

一個人喝茶應該要越喝越寬闊，比如人家跟你說梅山的茶不錯，不妨喝喝看，梨山的也不錯，台東的也不錯，港口茶也不錯，都試著喝喝看。喝了才發現所有的茶只是不同而已，中間並沒有什麼高下之分，喜歡喝的就是好的。

一個人學禪也應該越來越寬廣，以越來越寬闊的見解來看這個世界。所以開悟的人是他的內在不斷的打開、有更大包容心的人，而不是不斷的關閉內在、越來越狹窄的人。

達摩祖師的茶與禪

中國禪宗與茶道有很深的因緣，以「中土禪宗之祖達摩」來說，達摩也被認爲是茶道的始祖。

傳說菩提達摩在少林寺面壁九年的時候，因爲想追求無上覺悟心切，夜裡不倒單，也不合眼。由於過度疲勞，沈重的眼皮撐不開，最後他毅然把眼皮撕下來，丟在地上。就在達摩丟棄眼皮的地方，長出一株葉子翠綠的矮樹叢，樹葉就像眼睛的形狀，兩邊的鋸齒像睫毛。

那些在達摩座下尋求開悟的徒弟，也面臨眼皮撐不開的情況，有的徒弟就摘下一片又綠又亮的葉子咀嚼，頓時精神百倍。於是，大家就把「達摩的眼皮」採下來咀嚼或泡水，產生一種奇妙的靈藥，使他們可以更容易保持覺醒狀態，這就是茶的來源。

達摩被我們視爲「禪宗初祖」，但是他的名聲雖大，他的思想卻很少人知道。根據學者的研究考證，達摩眞正思想的所在，應該最接近後世流傳的〈二入四行論〉。

「二入」是從兩種方法進入禪悟，一是「理入」，就是要勤於教理的思惟，認識教理，解除生命的盲點，然後才能捨僞歸眞。二是「行入」，就是以生命來實踐，以佛的教義實際的履行，除去愛憎情欲，以進入禪法。

這就是「不受人惑」的入門呀！以達摩祖師的教化來看，後世禪宗分爲「貴見地不貴行履」，或「貴行履不貴見地」，實際上都有違祖師教化，走入極端了。

見地是爲了提升境界，實踐是爲了印證境界；前者是未登山頂而知道山頂有好風光，後者是一步一步的登山，一定要爬上山頂的時候，才能同時匯流，豁然貫通！

「行入」分四，也就是報寃行、隨緣行、無所求行以及稱法行。

「報冤行」是指人生所有的困頓悲苦，都是往昔自己與人結下不好的因緣，當以坦然的態度來接受和面對。

「隨緣行」是指我們所遇到的一切喜慶成就，乃是從前善緣的成果，故應無所執著驕滿。

「無所求行」是指世人由於有所貪求，才會迷惑不安；如果能無所求，就能無所願樂，萬有皆空，安心無爲，順道而行。

「稱法行」是明白本性清淨才是究竟的法。所以在世間一切法上，無染無著、無此無彼，雖然自利利他，也能安住於空法。

茶的最高境界

達摩祖師的「二入四行」可以說是禪宗根本的理趣所在，如果能從此進入，就可以安心於道了。達摩祖師曾對兩位大弟子慧可、道育說了一段重要的話：

令如是安心，如是發行，如是順物，如是方便，此是大乘安心之法，令無錯謬。如是安心者壁觀，如是發行者四行，如是順物者防護譏嫌，如是方便者遣其不著。

禪的修行是從「有意」超入「無心」。無心即是本性清淨的意思，在本性清淨的大原則下，一個人如果有多少執著，就會有多少的束縛。減少束縛的方法，就是去化解執著——在見地上化解、在實踐中化解、在行止裡化解，到了解無可解、化無可化之境，心也就清淨了。一切生活中的事物，不都可用二入四行來給予直觀嗎？即使微細如喝茶這樣的小事，在直觀中，也能使我們身心提升到清淨之處呀！

我喜歡茶道的四個最高境界——和、敬、清、寂。和是「心存和平」，敬是「心存感恩」，清是「內在坦蕩」，寂是「煩惱平息」。

「和」是「報冤行」，即使是生命中最大的困頓，也能與之處於和諧的狀態。

「敬」是「隨緣行」，感恩那些使我能隨順生活的事物和人，有崇仰之想。

「清」是「無所求行」，是內心永遠晴空萬里，有亮麗的陽光，無所貪求和企圖。

「寂」是「稱法行」，是止息一切波動，安住於平靜。

和敬清寂不是呆板的，而是活潑的。就像火爐裡的木炭經過熱烈的燃燒，保留了火的熱暖，而不再有火的形貌。

人在煩惱烈焰之中亦如是，燃燒過後，和合相敬清朗靜寂，但不失去智慧的光芒與慈悲的溫暖。

達摩祖師有一首偈說：

亦不覩惡而生嫌，
亦不觀善而勤措，
亦不捨智而近愚，
亦不拋迷而求悟。

試著譯成白話就是：

不必看到壞的人事就生起嫌惡的心，
不必看到好的事功就生起企圖的心，
不必捨棄智慧而去靠近愚癡的景況，
也不必拋棄散亂生活去追求悟的境界！

也就是說，如果手裡有一杯茶，就好好的來喝一杯吧！品味手上的這一杯，不必管它是烏龍，還是鐵觀音，不必管它是怎麼來到我的手上。如果遇見人生的情境，不必管它是好是壞，不必管它怎麼獨獨落在我的頭上，就坦然的飲下這一杯苦汁或樂水吧！

如果還沒有手上的茶，那麼來煮一壺水，把水燒開了，抓一把茶葉，準備喝一杯吧！

忙亂的生活如此燥熱，沒有清涼的茶無以消火解渴；煩惱的生命如此焦渴，缺少一杯法雨甘露，生命的長途就更鬱悶難耐了。

茶與禪宗的傳統

從達摩以後，喝茶成爲禪宗叢林的傳統。喝茶在從前佛教的叢林是很重要的事，特別是禪寺都設有「茶頭」，就是掌管喝茶的人，他的職司包括佛前獻茶、衆中供茶，或客來饗茶等，凡是有關喝茶的事都是由他主掌。

在大叢林裡，茶頭往往不只一位，而且在首座寮、維那寮、知客寮、侍者寮都設有茶頭一職，稱爲「四寮茶頭」，每位茶頭下面還有幾位雜役供使令，稱爲「茶頭行者」。這樣算起來，一座寺院裡就有十幾位專門以茶爲職的人，人數不能說不龐大了。

叢林裡還設有「茶堂」，有的是方丈待客之地稱爲「茶堂」，也有另設茶堂的。每天有固定時間喝茶，喝茶時要打「茶鼓」通知所有的僧衆。有一些寺院門前還特設「施茶僧」，爲遊寺或朝山的人施茶。

在〈百丈清規日用軌範〉裡曾說：「茶湯之禮乃叢林重要行事，不得慢易倉遑，列位時不得缺席。」又說：「若有茶，就座不得垂衣，不得聚頭笑話，不得隻手揖人，不得包藏茶末。」可見喝茶規矩很多，是一件莊嚴、清淨的事，也可說是修行的一部分，是禪定的功課。特別是坐禪時，每坐完一炷香就要下座飲茶，以提神益思，利於開悟。早上起床時，禪僧要先飲茶再禮佛，飯後也是先飲茶再做佛事，因此，一般禪僧一天喝幾十碗茶是很普通的。

唐朝以前，寺院裡喝的是「加料茶」，就是和香料、果料同煮，稱爲「茶酥」。到唐代以後，禪茶大盛，遂成爲單純飲茶，不再加味了。

禪僧的善於做茶、擅於飲茶、講究茶禮，都對民間產生巨大影響。

例如有許多名茶是寺院種植和製作出來的，像碧蘿春茶，產於江蘇洞庭山碧蘿峯，原名爲水月茶，是洞庭山水月院山僧首先製作的。烏龍茶的始祖是福建武夷山的「武夷岩茶」，宋元以來以武夷寺僧製作的品質最佳。明代僧人製作的「大方茶」，則是安徽南部「屯綠茶」的前身。

現代人所喜愛的紫砂陶壺，是明代江蘇宜興金沙寺的一位老僧創製的，後來成爲宜興壺的代表。

被喝茶的人奉爲「茶聖」、「茶神」的陸羽，他出身於寺廟，一生的行跡也沒有脫離過寺廟。他的經典作品《茶經》，就是遍遊各地名山古剎，親自採茶、製茶、品茶，並廣泛吸收僧人的飲茶經驗，加以總結的成果。

唐代封演的《封氏聞見記》裡說：「開元中，泰山靈岩寺有降魔師大興禪教，學禪務於不寐，又不餐食，皆許其飲茶。人自懷挾，到處煮飲。從此轉相仿效，遂成風俗。」我們想想那時的禪僧帶茶壺到處煮飲的情景，特別有一種親切之感。

不只是喝茶，茶的比賽也是從前在寺廟裡就有了。宋代著名的浙江余抗徑山寺，經常舉行由僧人、施主、香客共同參加的茶宴，進行品嘗、鑑評各種茶葉的品質，稱爲「鬥茶」。當時還發明了把嫩芽茶碾成粉末，用開水沖泡的「點茶法」，這種喝茶的方法後來傳到朝鮮和日本，成爲「抹茶」。日本人至今還喜愛這種方式，可惜在中國已經失傳了。

許多禪寺與茶的相關記載，使我們知道茶與禪可以說是「茶禪一味」。因爲茶也可以導引我們的心靈通向單純、超越、無爭、寧靜、自由，使人能自然的通向禪道；那種純樸無華、莊嚴和諧的風格，對於禪定也大有助益。

莊嚴的茶匠之心

我曾經寫過〈茶匠的心〉的故事。在日本的江戶時代，天下非常混亂，有個宗主要到京都奈良一帶。可是他每天都有喝茶的習慣，一天不喝就渾身不對勁，他就把他的茶匠帶在身邊專門泡茶給他喝。但是因爲京都一帶治安非常不好，他就將茶匠化粧成武士的樣子跟隨在身邊，每天爲他泡茶。

有一天，這個茶匠覺得很無聊，就穿著武士的衣服，帶著武士刀，走到街上去，卻很不幸正巧碰上了一個眞的武士。茶匠看到武士非常驚慌，因爲他沒有武功。武士見茶匠一臉驚慌，就說：「把你的財物留下來，不然就和我比劍！」

茶匠嚇得半死，因爲如果和他比劍一定會死，怎麼辦呢？他在京都奈良一帶已經是一個非常了不起的茶師，怎能隨便比劍而死，一定要學到一種很優美的方法才死。於是他想到剛剛經過一間劍道館，應該去劍道館學習死得很漂亮的方法才來死。他就騙武士說：「請你等一下，因爲我要幫我的主人送一封非常緊急、非常重要的信，如果比武我死了，這封信就送不到。我一定要先去送這封信，你在這裡等我，送完信我就來跟你比劍。」那人說好。

茶師就跑到劍道館跟劍道師傅說：「師傅，求求你教我一種死得最漂亮的姿勢，因爲我等一下要跟人比劍，我一定會被殺死，可是我要死得像一個第一流的茶師。」教劍道的師傅說：「你是茶師嗎？」「是的。」「好吧，現在我要教你死得最漂亮的方法，但是我若教你，你去比劍死了我就收不到錢，所以在你學我教的方法前，請用你泡的茶來做你的學費。」茶師說：「好。」師傅說：「就用你平常泡茶的樣子來泡。」

於是茶師就燒水泡茶，內心非常的沈靜，慢慢的把茶泡好送到劍道師傅面前。因爲這是他此生最後一泡茶，所以特別用心的泡。師傅端起來喝的時候非常感動，因爲這輩子從來沒有喝過這麼好喝的茶。

然後他就跟茶師講：「好，現在我教你怎麼死得漂亮的方法！你等一下去跟那個人比劍時，你的心就保持你現在泡茶的樣子。去的時候把你的腰帶紮緊，把你的劍拔起來高高舉起，然後把你的心維持在你泡茶的樣子準備受死，這樣就是最美的姿勢。」

茶匠聽了很開心，就衝回去跟那個人比劍。他把腰帶紮緊，將劍高高舉起，兩隻眼睛盯著武士。武士大吃一驚，這時才知對手原來武功這麼高強，嚇得把劍丟了，跟茶師磕頭說對不起，爬著離開。

這個茶匠只是維持他泡茶時的心，泡茶時的心跟比劍時的心、跟學禪的生活裡的心，都是同樣的一個心。如果一個人可以在生活、生命、文化上更用心，在思想上更用心，就是在不斷走向更高的境界，走向禪跟茶一味的境界，使喝茶不只是欲望跟物質的滿足。喝茶若變成一種生命的美好經驗，便可以提升我們。

一個人如果不能品味出眼前這杯茶的滋味，他到了淨土，又怎麼知道淨土是比人間更優美的地方?那種體驗是沒有分別的。

所以，我們要在生活裡體驗生命的美，在喝茶的時候、吃飯的時候，體驗生命的美。每一次那更美好、更純淨、更清醒的體驗，都是在走向禪道。

永遠在實踐中

最後，我們來看看禪宗的兩個公案：

趙州禪師有一個著名公案，就是每當有新到的僧人，他總是會問：「你來過這裡嗎？」

僧人說：「來過。」

他就會說：「吃茶去！」

然後他問另一位新到的僧人：「你來過這裡嗎？」

那人說：「沒來過。」

他也會說：「吃茶去！」

寺院的院主看了大惑不解，就問道：「爲什麼來過的您也說吃茶去，沒來過的也說吃茶去呢？」

趙州於是叫院主的名字，院主答聲。

趙州就說：「吃茶去！」

另外，法眼文益禪師被一位學生問道：「師父，什麼是人生之道？」

他說：「第一是叫你去行，第二也是叫你去行。」

是的，什麼是飲茶之道，第一是叫你去喝，第二也是叫你去喝。

什麼是佛法之道，第一是叫你去實踐，第二也是叫你去實踐。

「有沒有第三呢？」

「有的，第三是叫你行過了放下！」

這金黃色的茶湯呀！這人生之河的苦汁呀！這中邊皆甜的法味呀！

一味萬味，味味一味。

喝時生其心，喝完時應無所住，這才是「茶禪一味」呀！

成長的喜悅

成長的喜悅

我寫文章到現在已經滿二十五年了，很多朋友希望我談談這二十五年來的寫作心得，說說我是怎樣從一個一般的作家成爲佛教徒作家，如何把佛教放到我的作品裡。我會寫佛教文章，其實是一種因緣，現在想起來，似乎是冥冥中注定的。

十三年前我在中國時報擔任主編，當時我對自己的人生產生巨大的反省。這種反省來自兩方面，第一個是關於工作方面。當時我在報社是資深主編，年紀只有三十歲，大概是報社最年輕的資深主編，生活非常忙碌。於是我開始反省，到底要不要一輩子都過這樣的生活？

那時每天回到家裡已是早上六點鐘。報社都是晚上工作，等看完所有打樣，離開報社時已將近凌晨四點鐘，回到家洗個澡休息一下就天亮了。白天約在中午就得到報社，每天至少要開五個會，編輯會議、業務會議、和上司開會，還有和部屬的會議。每天忙得不得了。

生命的困境

我常在開會時突然分了神，心想，難道要這樣過一輩子嗎？來和我開會的人年紀都比我大、頭髮比我少、肚子比我大，我似乎看到了十年、二十年以後的自己。每天忙著討論今天要登什麼新聞，完全沒有自己的生活，不能對自己的人生做主。

新聞工作是非常忙碌的工作，所有的重點都擺在外面發生的事，完全沒有自我。譬如，現在發生尹清楓命案，我們就會派三、四個記者去盯這個案子。這四個人在接下來的三個月可能就會失去自我的生活，必須跟著這個案子的發展一直轉，直到沒有線索為止。然後又跑出另一個重大新聞，例如競選立法委員，就再派四個人去盯，這四個人又失去了自我的生活。

這樣下去，十年、二十年，很恐怖。我人生的出路在哪裡呢？我可不可以自己做主呢？這就變成我常有的自我反省和思考了。

我生命的第二個困境來自於我的文學創作。

我很早就想做一個專業作家，但在台灣這樣的環境，要做專業作家是很不容易的。我小學時就立志當作家，但在我所居住的高雄旗山，當地人都不知道作家是幹什麼的，根本沒有這個環境讓人成爲作家。

小學三年級時，老師要我們寫一篇作文，題目叫作〈我的志願〉。我就寫將來要做個偉大的作家，拯救人類心靈，促進世界和平，讓人與人之間更能相愛溝通。我認爲作家大概就是拯救人類心靈的人，因爲作家是人類靈魂的工程師。

作文交上去後，老師把我叫去，叫我立正站好，然後伸出手來摸我的額頭，看看有沒有發燒。怎麼有這麼奇怪的志願？因爲那個時代的小孩子，一般的志願都是要當科學家、工程師、發明家、醫生，還有行政院長、總統，成績最爛的都想當老師或校長。當作家？聽都沒聽過。

我是在這樣的環境中長大的。爲什麼這些人都不知道自己的志願？因爲他們的志願都是大人告訴他們的。但我從小立志當作家，卻是自己決定的，跟父母或老師沒什麼關係。可是作家在當時，在鄉下根本沒人知道，是個很奇怪的行業。從旗山開闢到我誕生成長，許多人都沒聽過「作家」這兩個字。

課本實在太難讀了

我想當作家的另一個重要原因是課本太難讀了，很沒趣味。爲什麼大家不願寫好看的東西給別人看呢？在我小學五、六年級到國中這段時間，有幾個作家寫了很好看的武俠小說，相當風靡。例如臥龍生、諸葛青雲、古龍，他們寫的小說都很好看，還有像葉宏甲的《諸葛四郎與眞平》，海虹的《小俠龍捲風》也都很吸引人。若課本能寫成這樣，不知有多好。

因爲不愛讀課本，所以我在國中以前一直不是個好學生。我記得國中二年級成績單的導師評語欄裡，其他同學的都寫很好，像是樸實、用功、勤勞等等。我的只有四個字：「資質平庸」。

國中畢業後，要考高中，那時在旗山鄉下大部分的學子都是到高雄考試。在考試前幾個月，我父親告訴我說：「你爸爸在這旗山鄉下也是有頭有臉的人，你去考高雄聯考如果落榜，我會很沒面子。你到其他地方去考好了。」於是安排我去台南聯考，結果考上私立瀛海中學。

我一到瀛海，非常吃驚，因為瀛海在安順海邊，土地是鹹的，一根草也沒有。一年級有五個班，到了二年級變成四個班，升上三年級只剩三個班。這個學校可說是荒涼又嚴格，我成績不好，沒辦法，只好硬著頭皮去讀了。

我們旗山鄉下只有少數人到高雄以外地區參加聯考，我便是其中之一。經過很多年後，我被瀛海選為傑出校友，但在念書時，我可不太傑出。上次我應邀前往瀛海演講時，校長說難得有傑出校友回母校演講，就找畢業紀念册，找到一個當年我們班上第一名的同學來和我見面。

這位同學是程碧梧小姐，現在是成大圖書館的館主任，是我們班當時唯一考上台大的同學。當年讀書時她就坐在我前面，我是班上最後一名，沒想到畢業多年後又見面，我便感觸良多。我常建議家長不要太早判定子女的生死，因為他們將來會如何發展，誰也不知道。說不定最後一名的學生會和第一名的一樣傑出，也很難說。

我到台南求學是人生中很重要的轉捩點。當時瀛海中學規定每個人都得住校，所以我就住校了。就這樣認識很多死黨，這些同學來自各種不同的家庭，有的人的父親是漁民、有的是鹽民、有的是軍人……。我發現大家的生活都很有趣，更肯定我要當作家的志向。

之後我就擬定一個計畫，若我想更了解我的同學，就要跟他們成爲好朋友，最好能去他們家裡住。所以寒暑假時我會把同學家的地址列張表，然後安排去佳里、路竹……住幾天。這樣假期就很有趣了，可以住在不同的家庭中。

我高中三年的生活大概就是如此，假期大都在同學家裡度過，不但和很多同學成爲好朋友，也認識到他們的家庭生活。我也常在心中醞釀，有一天一定要寫作，把這些人的生活、喜怒哀樂寫下來。

我高中二年級開始在報上正式發表文章，發表的第一篇文章收到三百塊稿費，當時我住校的食宿費用每個月正好要繳三百塊。我非常驚喜，寫作竟然這麼好賺，就增加了一點寫作的力量。不過因爲太用心於寫作，學校的成績一塌糊塗，三年都補考，好不容易補到畢業要參加聯考。

果然，我第一年考大學落榜了。後來我就重考，連續考了三次，到第三次若再考不上就要當兵了，所以我很緊張。當年大學聯考只有一種，不像現在還有夜間部、二專，但我第三年考大學時，大學和專科分開招考。結果我大學又落榜，就去考專科，考上世界新聞專科學校的電影技術組，是當年三專的最後一個志願，最低錄取分數爲三百六十一分。我考三百六十一點五分。

當時班上多數同學都很不開心，因爲考上最後一個志願。但我卻開心得不得了！我買了特大號的鞭炮，從我們家四樓一直掛到一樓，然後自己寫一張紅紙「慶祝林清玄金榜題名」，貼在門口，隨後點燃鞭炮。當時在旗山也很轟動，大概是全台灣唯一考上世新還放鞭炮的。

對台灣一無所知

我第一年落榜後，我父親就告訴我：「台北補習班有一種保證班，只要一期繳八千塊就穩上大學，我已經幫你準備好了。賣了一分地、一頭牛，籌了三萬塊。一萬六給你繳兩期學費，剩下的就做爲你在台北的生活費。」我就帶著三萬塊離開家鄉到台北去了。這是我第二次上台北，第一次是小學三年級。

到台北後我按照父親給的住址，找到了補習班。我心中猶疑不定，心想萬一沒考上，這一大筆錢豈不泡湯？於是走進又走出，前後共七次。總覺得這麼多錢交給補習班實在太浪費了，於是想想有沒有什麼願望未完成。

我高中時就一直想環島旅行，了解台灣人民的生活，這筆錢可說是天賜良機，也許眞能實現旅行的夢想。我越想越開心，就畫地圖計畫環島旅行。預計從台北出發到基隆，沿著東海岸到宜蘭、東澳、蘇澳、花蓮、台東、屏東，然後高雄，走西海岸回台北。每個地方住一兩週，剛好一年。寫好計畫表後，就出發旅行去了。

在旅行的過程中，我有很多感動。我在台灣生長十七、八年了，但對台灣卻一無所知；在受教育的過程裡，從沒有人告訴我台灣的面貌。我們讀的地理都是有關大陸的，長江、黃河、黑龍江、東北三寶……，這對我們並沒有什麼用處。很多人不知道卓蘭生產葡萄，卻知道東北生產烏拉草。我們讀的歷史也全是大陸的歷史，很少讀到台灣的歷史。

我在十八歲時就繞台灣一周，對台灣有很深刻的情感，覺得像台灣這麼優美的地方，爲什麼沒有眞正去愛惜她？我一邊旅行也一邊寫文章，也可以說這一年的旅行奠定了我當作家的基礎，使我對人、對生活有眞正的愛。

我覺得眞正可以感動我們的，是人，而不是風景。我們到瑞士、荷蘭等風景優美的地方，會很感動，但這種感動不會很深刻，因爲最美的風景在台灣任何地方都可以看得到。眞正能讓我們有刻骨銘心的感動的，是關於人的情感與生活。我繞台灣一圈，把寫下來的文章拿去發表，賺到的錢正好三萬塊。

後來我就上了世新，並認識了很多喜歡寫作的朋友。我認識很多對電影、藝術有興趣的朋友，都不太會讀書但卻很傑出。

我在世新的三年很用心寫作。我是鄉下小孩，沒有很好的資源，所以必須比一般人更努力、更用功。我在世新時便規定自己每天寫一千字，沒寫完絕不睡覺，即使隔天要考試也要寫一千字，這就變成我每天例行的工作。到了三年級時，我每天寫一千五百字；世新畢業後每天寫兩千字。然後我去服兵役。

沒有能力反抗命運

我是大專兵，分發進部隊前一、兩個月要考智力測驗，考得好就分配到空軍等較好的單位，考不好就分派到陸軍步兵或海軍陸戰隊等不好的單位。我和隔壁的講好要作弊，寫完四十題後交換考卷互寫，以保障分發到好的單位。結果寫好四十題要和別人交換時，竟然沒人要跟我交換，我覺得人性好墮落！時間一到考卷就收回去了。

測驗結果我的IQ是二十三！黑板上貼了一張表說明分數的意義：七十分以下到四十分是低能，四十分以下則是空白。我問輔導長空白代表什麼意思？他說：「代表白癡！」被當成白癡後，每天照鏡子都覺得自己越來越像。

出操時要拉單槓，班長問我會不會，我說不會，他就叫我在別人拉單槓時數數。大家都把我當白癡，要出公差就派我去。有天，排長把我叫去：「林淸玄，寄信你會不會？」我說：「會。」他說：「寄信不是像你想的那麼簡單。」他拉開抽屜取出兩疊信，然後說：「寄信是有學問的。這一疊沒貼紅紙的是普通信，有貼紅紙的是限時信。你這兩疊不要混在一起，右手拿普通信、左手拿限時信，到信箱前面，把左手的丟進紅色筒子、右手的丟進綠色筒子。」

我下部隊的個人資料是「反應遲鈍、低能」。我試圖告訴別人我不是白癡，但沒人肯相信。有天我去找輔導長，告訴他我的頭腦不錯，不是白癡，「反應遲鈍」是個誤會，還向他懺悔IQ測驗時本來想作弊。一直向他解釋了半小時，他後來似乎聽懂了，拍拍我的肩膀說：「林清玄，人笨沒關係，加緊努力就行了，會有出頭的一天的。」我正要辯解時，他就把我推出門外。我愣住了，原來人與人的溝通這麼困難。

下部隊後，營長看了我的資料，就說要派我去養豬。養豬就養豬吧，這樣也不錯，時間、空間都比較多。我仍繼續每天寫作兩千字，早上五點半集合，我四點鐘就起床寫文章。當時我已小有名氣，在聯合報、臺灣時報和皇冠雜誌上都有專欄。

由於當兵的關係，我在聯合報上寫了很多有關服兵役的事，鼓勵大家從軍報國。國防部看了很高興，便發了五千塊的獎金要給我。這份公文輾轉到了我們營長手中，他半信半疑，把全營集合起來點名，都沒有找到這個傑出的人。

最後連長發現我在養豬，非常吃驚，叫憲兵找我過去，要我從實招來，爲何在養豬場養豬。我答說：「您派我去的。」營長看了我的資料：「反應遲鈍、低能」，就問我爲何會這麼寫？我花了將近一小時把前因後果說明白。營長越聽眉頭皺得越厲害，突然拍桌子喝道：「你好大的膽子，竟敢在部隊裡僞裝白癡！」然後把我送去關禁閉，規定我每天抄一篇〈總統遺訓〉。

我想，人生的過程大概就像這樣。第一，人與人之間是很難溝通的。第二，人在遭受命運打擊時是沒有反抗能力的。關完禁閉後，我被平反，然後送去受訓，接著當了戰車車長。

我文章寫得不錯，每個月都有七、八千塊的稿費收入，那時二等兵的月薪是兩百四十塊。排長、連長常找我借錢，我就說：「好啊，放我兩天榮譽假，借你五千塊。」

退伍後，就有三個單位請我去上班，分別是中國時報及其他兩個報社。後兩個報社一個請我當主筆、一個請我當編輯，中國時報則請我當記者。當時我對當記者比較有興趣，因爲想了解台灣人民的生活，希望透過記者這份工作與更多人接觸，更了解一般人的想法。

寫不出眞正想寫的文章

退伍第二天，我就進了中國時報展開記者生涯。我被分配到社會新聞這條線，我很驚訝，因爲覺得自己本身是溫文儒雅的人，應該跑的是文教、藝術或影劇新聞。我向總編輯抗議，總編輯說：「沒有人天生要跑社會新聞的，所以你也可以跑。」

於是我開始採訪社會新聞，但心裡仍惦念著要成爲一個專業作家，因此在跑新聞那段時間，我仍每天寫三千字自己的文章。每天工作很累，回到家裡開始寫自己的文章時就非常開心。因爲我非常喜愛寫作，寫作的創造性讓我在這個過程中得到很多喜悅，所以從來沒有厭倦感。

那時候開始有文學獎，我便參加比賽，幾乎每年都得獎。我曾經連續七次得到中國時報文學獎，在三十歲之前就得遍了台灣公認的重要文學獎，包括國家文藝獎、中山文藝獎、吳三連文藝獎、金鼎獎、中央日報文學獎、聯合報文學獎、中華日報文學獎、吳魯芹散文獎、作協文藝獎等。

三十歲時突然想到已經沒有文學獎可參加了，只剩下一個：諾貝爾文學獎。此時生活變得很惶恐，我的文學寫作已到了一個瓶頸。所有的人都說，林清玄文章寫得很好，但只有一個人知道還不夠好，還沒寫出真正想寫的東西，那個人就是我自己。

沒寫出自己真正想寫的東西，又碰到報社工作不能突破的惶恐，因此深夜裡常覺得不知該如何是好。

有天半夜我在報社等著看報紙打樣時，想找一本書來看，打開抽屜，看到《至尊奧義書》，是一本有關印度哲學的書。我一打開看到一行字，給我非常深刻的撞擊！這行字是：「一個人到了三十歲，要把全部的時間用來覺悟。」那時我正好三十一歲。

翻過去又看到一行：「一個人到了三十歲，如果沒有把全部的時間用來覺悟，就是一步一步走向死亡之路。」我看了之後很緊張，我已經三十一歲了，要不要覺悟呢？什麼是真正的覺悟呢？我一定要真正來反省覺悟這個問題。

在佛經中尋找覺悟

我太太原來就是虔誠的佛教徒，我想，也許佛教裡面有些東西是講覺悟的。於是就問我太太，她交給我幾本佛經，有《金剛經》《阿彌陀經》《華嚴經》及《維摩詰經》。讀了之後，我非常非常感動，這種感動難以言說。

《華嚴經》的語言、文字這麼美，為何我以前不知道？《金剛經》的文字這麼美，為何我以前不知道？「一切有為法，如夢幻泡影，如露亦如電，應做如是觀。」這麼美、這麼簡短、這麼有力量。最感動的是看《華嚴經》，我連續看七天七夜，把一部《華嚴經》看完。當時非常感動，這可能就是我要尋找的覺悟。

一個月後，我就離開報社。大家都很吃驚！因為我的前途看好，有才氣，工作努力，在新聞界已待了一段時間，又有很多朋友。我離開報社後，到鄉下隱居，帶著妻兒搬到大溪和鶯歌交界的橋仔頭定居，那裡離蔣經國和蔣中正「住」的地方很近。

當時我考慮兩個很重要的問題，第一個問題是，我如果研究透徹了，就出家。第二個問題是，我要把全部時間、全部心力用來覺悟。因此那是我唯一沒有寫文章的一段時間。我每天讀經，讀十二個小時以上，很少下山。

經過一年多，自己對佛教已有很基礎的概念。佛教有談到正知見，我不知道自己的這些概念有沒有問題，便想就教於台灣一些偉大的修行者。我把當時台灣公認的好的師父和居士列成一張表，每週拜訪一位，去參訪問道。

因此我和很多師父都有很好的因緣，在那段時間我認識了星雲法師、證嚴法師、聖嚴法師、印順導師、懺雲法師、妙蓮法師、惟覺老和尚等，這些台灣公認為最好的修行者，我都去問了他們修行的方法。還去拜問過許多大家認為最好的居士。當時我得到非常大的啓發。

誰能解釋佛經

我在鄉下住了一年十個月，每天黃昏讀完經都會去散步，散步到一座廟前，有幾棵大榕樹，我就坐在那裡背經。我自己覺得深入經典的方法，就是把每天讀到最好、最喜歡的那段經文背誦下來。

有一次我看到一個出家人蹲在這座廟的香爐前燒東西，我便上前看看在燒什麼。一站到他身邊時，我大吃一驚，因爲他正在燒佛經。我每天花十二個小時讀的佛經，這個師父竟然把它燒掉！

我就問師父爲何燒佛經？他告訴我，這些善書是信徒助印的結緣品，現在燒的是三年前的書。每個月都有新的結緣品，舊的就必須燒掉，因爲沒人要拿。他說廟裡還有事要忙，要我幫他燒，我說好，就蹲下來幫他燒。

我一本一本燒，邊燒邊看，發現善書的印刷很粗糙，內容也沒有經過選擇，有很多甚至沒標點符號，可能連助印的人都沒有看過。助印人士芳名錄則印得很清楚，有排列、間隔和標點符號，佛經本身則沒有。

其中有的經很奇怪。有本叫作《佛說玉耶女經》，就是釋迦牟尼佛告訴一個女孩子怎麼樣做好媳婦，每天要比丈夫早起，灑掃庭除，丈夫責罵時要微笑以對，不可反嘴。這已不合時代了，我在燒的時候感觸就很深。

爲什麼佛經這麼好的東西，沒有人願意看，甚至連摸都不願意摸？到底有誰可以做這樣的工作，把佛經變成一個人人願意讀、願意放在家裡、不會隨便丟棄的東西？想了半天，腦海中突然浮現三個字：林淸玄。

因爲寫文章的人當中，眞正虔誠信仰佛法、深入佛法的人並不多。對佛法有研究的人常說：「不立文字、教外別傳。」認爲寫作文章是沒有用的。還有一句佛教徒常說的話：「自從一讀楞嚴後，不讀人間糟粕書。」因此，我心裡想，如果沒有重新確立一個新觀點，佛教書籍就不能爲他人所喜愛。我想這可能是我要做的工作，於是我開始寫作佛教的文章。

寫作四、五個月後，已有一本書的分量，我便帶這本書找出版界的朋友，希望能出版。但大家都不願出版，他們的理由是：「這種東西放在廟裡已沒人要看了，你還拿出來寫！怎麼可能有銷路？」

後來我找到九歌出版社的老闆蔡文甫先生，拜託他幫忙出書，並允諾如果賠錢，我願負擔一半。蔡先生勉強答應，於是我的第一本佛教書籍便出版了，書名是《紫色菩提》。沒想到書一出版，銷路大好。一週後，蔡文甫先生打電話給我，問我能否繼續寫類似的書。《紫色菩提》現在看起來並不是一本很完整、很符合我現在思想的書。但當時為何引起那麼大的回響呢？它還被選為中華民國四十三年來最暢銷而且最有影響力的書，這是中國時報在民國七十四年選出的。為什麼呢？因為那時候我們所知道的佛教都非常傳統，完全以往生淨土、解釋經典為主流。

登在天主教雜誌的佛教文章

我在寫佛教文章時，寄給佛教雜誌的稿件都被退稿。這也不難理解，因為，當時的佛教雜誌都是登些佛經的解釋及師父的開示。我那時很煩惱，如果文章寫出來沒有發表，沒有得到讀者的閱讀，那這文章等於沒寫。

有一天我碰到輔大的一位神父名叫李震，現在好像是輔大校長，還有一位趙英珠修女。我跟他們聊到說，自己寫了很多佛教文章，寄到許多佛教雜誌都被退回來。趙英珠修女就要我把稿件寄給她，她有一本「益世雜誌」，也許可以登登看。我便問趙英珠修女，爲何要登佛教文章？她說，因爲神父或修女在中國若不懂佛教，便不能做得很好。於是我把文章寄給趙修女，她將我的文章登出來，並爲我開了個專欄叫「鳳眼菩提」。

現在想起來，感觸頗深。我的佛教文章最早是登在天主教的雜誌上，而且還常去天主教教堂演講，那時佛教寺院都不接受我去演講。我住在山上，有時去聽師父講經，看著師父講到一半，大約有二分之一的人已經睡著了；講到完的時候，已有五分之三的人睡著了，我非常難過。這並不是師父講得不好，師父講得非常好，但講得太嚴肅、太深奧了，一般人難以接受。但大家都認爲，聽經是很有功德的，到寺院打瞌睡也比在家睡覺好。

我便想，有沒有人可以講經講得好一點，讓大家都喜歡聽，甚至願意買票去聽？想了半天，腦海裡又浮現三個字：林清玄。於是我便從山上搬下來，開始到寺院、文化中心去演講。

現在想起來，這一切有如因緣使然，讓我不得不往前走。後來我再到鄉下的廟裡找那個燒經的師父，卻找不到了。我想，也許這位燒經的師父，以及那位在台上講經讓大家都打瞌睡的師父，都是因緣安排好的。

我的個性本來是害羞內向的，很難很快就和人交朋友，常要經過長時間才能與人熟識。但是爲了要演講，我每天訓練自己，跑到河邊說話，訓練自己成爲外向的人，訓練自己成爲一個可以把佛教思想傳達出去的人。我每天都在思考如何使一般人接受我所要傳達的觀點。我開始演講至今已經十年了，在這十年中，我們看到的佛教已經完全不同。佛教書籍大多很暢銷，很少人想像得到十年前的景況。現在有很多出版商在我家門外排隊，等著我寫本書給他們，這樣他們便可發財。曾經十年這樣走來，想起來就很心酸。

十年來，我一年大概演講一百場，有時甚至多達兩百場。有時會在講台上出了神，不知講些什麼，因此我覺得應該培養更多佛教人才，投入文化工作，做出版、演講，讓更多人了解什麼才是眞正的佛法。

解決生活、生死、生命的問題

對佛法我有幾個基本信念。

第一，若佛法對我們的生活沒有幫助，那我們就不需要佛法。若信仰了佛法，但生活完全沒有提升或改變，這種佛法對自己是沒有用的。所以，一定要把佛法應用到生活上。

第二，若佛法對生死的問題沒有辦法提出解決之道，那我們也不需要信仰佛法。佛教講到人生基本的痛苦中，最大的痛苦便是死亡。人生一切煩惱皆來自生死輪迴，生死輪迴的根源就是愛欲無法解脫。我們常祝福人「永浴愛河」，這句話出自《華嚴經》，原來的意思是「永遠沈淪愛河中無法解脫」。

愛和河水有三個相同的特質，一是難以跨越，二是容易沈溺，三是會深深浸染我們的本性。如果愛的問題沒有解決，生死的問題就不能解決；生死的問題沒有解決，佛教便沒有存在的基礎。「往生淨土」的法門是爲了死亡而設立的；禪宗讓我們進入空境來解脫欲望和生死的綑綁，也是爲了死亡而設立的。所有佛教的宗派都和生死有關。

第三，佛法應該解決生命的歸向問題。

如果這三個問題無法得到解決，那佛法就沒有用，就和一般民間信仰沒什麼兩樣。佛法與一般民間信仰的不同在於，它能解決生活、生死與生命的問題。因此我認爲佛教應該不斷隨著時空而改革。爲誰改革？爲衆生改革。使佛法成爲能提升衆生、適應衆生的東西。改革最好的方法，便是透過語言和文字。

佛法若沒有改革，便會被社會所淘汰。小乘佛法爲何會變成大乘佛法？因爲當時小乘佛法已無法吸引衆生，所以就有了改革。

很多人信仰淨土宗，淨土宗也經過很長時期的改革。最開始信仰淨土宗是很困難的，因爲修行方法包括持名念佛、觀想念佛、觀像念佛及實相念佛，亦即念佛名號、觀想佛的樣子，並和佛處在同樣的狀態，還要做淨土十六觀的觀想。

後來大家覺得太難了，便先把觀想與實相拿掉，只要觀像持名即可。後來仍認爲太難，再拿掉觀像，只要持名念佛。持名念佛要從很年輕開始念，一心不亂，且要做很多功德。但大家仍覺得太難，最後也不要求做功德，只要在臨終前念十句佛號便可往生淨土，越來越簡化了。若不簡化，被淘汰的將不是衆生，而是佛法。

最後我們來談寫作或其他事物和佛教的關係。現在的佛教書籍非常暢銷，因此有很多人投入這方面的寫作，這是很好的。但若寫的人對佛法沒有眞正的體驗，他就無法表達到那樣的境界。

我可以把我的寫作生涯分三個階段。

第一個階段是早期的十年，是爲了變成文學家而寫作。我每天努力地寫，希望寫出留名千秋萬世的文章，這時是爲了自己的名利而努力寫作，但後來卻發現一些問題。

我是寫報導文學的，爲了要了解低階層的人的生活，跑到很多地方去住。我住過北投侍應生的住所，也就是妓女戶。和妓女住在一起，並不是因爲妓女給我很深刻的感動，而是因爲我和妓女住在一起可以寫出很好的文章。

我還曾和礦工、漁民住在一起，那也是爲了寫出好文章。就是寫文章擺第一位，感動與關心放在第二位，現在想起來很懺悔。可能那時受過記者訓練，因此比較冷漠無情。假設有棟房子失火，裡頭有張名畫和一隻活著的貓，你只能救其中之一，那你會救什麼？那時的我會救名畫，現在的我會救貓。

第二個階段，也就是第二個十年，我開始反省這種寫作方式。我開始爲那些感動我的題材而寫作。

第三個階段，是後面這五年，我爲與我共同生活在這塊土地上的人而寫作。我和這些人共同生活在這個社會裡，一起掙扎，有很多愛欲、痛苦。他們所遭遇的愛欲、死亡之苦，是我以後也是以前會遭遇、曾遭遇過的。

作家也是平常人

我認爲一個作家誕生在這個世界上，和其他人並沒有什麼不同；我不過因爲因緣的關係而成爲一個作家，並沒有特別的地方。但我深信所有心靈活動若提升到最高境界，就和宗教活動相通，我們可以從很多例子中得到檢驗。

像很多了不起的詩人，他們寫詩寫到很高的境界後，大家都認爲那是禪詩，有禪境的詩。像「橫看成嶺側成峯，遠近高低各不同，不識廬山眞面目，只緣身在此山中。」詩人不一定學過禪，但當他寫到很高的境界時，會進入禪境。畫家畫到很高的境界時，他的作品也會給我們很多感動，清洗我們的內心。

歷史上偉大的禪師開悟後常會寫詩，把自己的心境記錄下來。例如「春有百花秋有月，夏有涼風冬有雪，若無閒事掛心頭，便是人間好時節。」「平常一樣窗前月，才有梅花便不同。」這是禪師開悟後寫的詩。還有「踏破鐵鞋無覓處，得來全不費功夫。」「不經一番寒徹骨，焉得梅花撲鼻香？」

爲什麼禪師到了開悟的境界便要用詩來表達意念呢？這是因爲禪和文學之間有非常密切的關係，這兩者是相通的。讀了佛教的書後，不能不讀其他書籍，不讀其他書便會成爲沒有知識的人，到時怎麼可能告訴別人佛教的好呢？

我認爲世界上任何人站在他的職業或角色上，若能不斷提升自己的心靈及內在世界，並有更大勇氣來面對自己的生活、生死和生命問題，這樣的人在他站立的地方便進入了佛教的修行。所以佛法是無所不在的。若我們有這樣的態度，便會認眞做好每一件事。如果一個人連普通事也做不好，是很難令人相信他會開悟的。

因此，開悟和日常生活是一體的。我們有了這樣的信念，透過不斷的努力，改革我們對佛教的看法和思惟，那我們便可創造新觀點與新未來。

寫作和修行其實有很多相同的地方。譬如作家要保持很好的觀察力，這和佛教的觀照是很相像的，佛教徒要常保持觀照才能知道衆生的需要、痛苦、煩惱。作家觀察之後要有很敏銳的感受，佛教徒也應該要有感受力，譬如對生死無常的感受，作家和佛教徒對這種感受是很接近的。感受之後要思考，作家要常常保持思考的習慣，佛教常要我們「靜慮思惟」，這是禪最根本的意思。

觀察、感受、思考之後，要找到生命的價值。一個人爲何要寫作？並不是爲了講故事而已，若只是爲了這樣，那寫作就沒有什麼好發展的。寫作除了講故事之外，還有生命的觀點、價值的觀點，這種價值觀也是佛教徒應該重新建立的。譬如佛教徒常說要打破分別心、要有平等的見解，這都是價值觀。

因此寫作和修行有很多共通點。若我們能打通修行的「任督二脈」，就能出入無間，能做一般工作，也可以修行。

離魔一字，即是佛說

現在佛教很流行，許多人上山去打禪七、打佛七，也有很多人把佛教的修行當作一種特殊狀態。其實，我們應該把佛教的修行放到現在、此刻的生活中，從當下開始。

很多人會說：「等我老了再修行、再念佛。」幾歲才叫老？很難講。從此時此刻，你的生活、你的職業、你的位置開始，這一刻就是最好的開始。如果能打破這樣的界限，我們就能眞正進入修行的生活。

許多人雖然對佛法有體驗，也想透過文字和語言來弘揚佛法，但是缺乏勇氣去做，因爲想到所謂的「離佛一字，即是魔說。」這種說法很可怕，因爲太僵化、太狹隘了。我把它改了兩個字，變成：「離魔一字，即是佛說。」只要能提升人的性靈，使我們進入更高境界的法，不管是文學、藝術、科學或哲學，都是與佛法相通的。

只要我們心存佛的教法，以衆生的利益爲依歸，「欲爲諸佛龍象，先做衆生牛馬」，有這樣的承擔與勇氣，心胸開闊、寬廣、自由，如此每一個信仰佛法的人都可以弘揚佛法，也都應該弘揚佛法。走弘揚佛法與自我體驗並進就是「福慧雙修」，世界也將在個人的奉獻中增長，因爲如來善護念諸菩薩，善付囑諸菩薩呀！